A mi gran amigo, compañero, cómplice de vida,
esposo y padre de mis hijos; mi amado Paulo.

Porque el amor para toda la vida sí existe,
es cuestión de escuchar tu corazón y aprender a elegir.

¿Sexo?
¡Sí!
pero sexo seguro

Consejos prácticos sobre el amor y sexualidad

Rosario Laris

EDITORIAL TRILLAS

México, Argentina, España,
Colombia, Puerto Rico, Venezuela

Catalogación en la fuente

Laris, Rosario
    ¿Sexo? ¡Sí! Pero sexo seguro. -- México : Trillas, 2016.
    183 p. ; 23 cm.
    Bibliografía: p. 165-180
    Incluye índices
    ISBN 978-607-17-2753-4

    1. Educación sexual. 2. Adolescencia. 3. Conducta
de vida. I. t.

D- 306.76'L134s   LC- HQ56'L3.8

División Administrativa,
Av. Río Churubusco 385,
Col. Gral. Pedro María Anaya,
C. P. 03340, México, Ciudad de México
Tel. 56884233, FAX 56041364
churubusco@trillas.mx

División Logística,
Calzada de la Viga 1132,
C. P. 09439, México, Ciudad de México
Tel. 56330995
FAX 56330870
laviga@trillas.mx

Tienda en línea
www.etrillas.mx

Miembro de la Cámara Nacional de la Industria Editorial
Reg. núm. 158

Primera edición, agosto 2016
ISBN 978-607-17-2753-4

Impreso en México
Printed in Mexico

PRESENTACIÓN

De las personas que he conocido, y con quienes he compartido proyectos y experiencias laborales, Rosario Laris es sin duda una de las más comprometidas con su quehacer profesional. Durante los años que llevamos de colaborar juntos, Rosario ha mostrado ser una mujer increíblemente responsable en todas sus facetas: como académica, investigadora, editorialista, servidora social, comunicadora, madre, esposa y en cuanta actividad realiza diariamente. No trataré de hacerla quedar bien en este honorable encargo de presentar su libro, no hace falta: ella misma se encarga todos los días de mostrarnos lo que es y lo que hace.

El primer contacto que tuve con su proyecto *Sexo Seguro, A. C.*, fue una charla con ella, en la que me comentó que estaba impulsando una fundación que buscaba el fortalecimiento de la dignidad de la persona humana, desde la concepción hasta la muerte natural. Si bien eso resulta una vocación atractiva y noble, ya lo había escuchado muchas veces. Se trataba de formar una organización que incluiría –entre otras actividades– una página de internet en donde jóvenes y padres de familia pudieran consultar temas de sexualidad desde cualquier parte del mundo y a cualquier hora del día. Algo sin duda muy interesante pero temerario, pues, ¿quién en su sano juicio dedicaría todo su tiempo y esfuerzo en resolver dudas, exponer experiencias, en responder a todos y en todo momento preguntas sobre sexo?, ¿quién en su sano juicio atendería preguntas sobre sexualidad que la mayoría de la gente se las ha hecho durante toda su vida, pero que hasta ahora se atreve a consultar con un experto desde el anonimato, a través de internet, sin enfrentar cara a cara a su interlocutor? Todo ello era sin duda un proyecto muy atractivo, pero a la vez muy difícil de cumplir. En aquel momento en que tuve aquella charla con Rosario Laris, dicha idea sonaba como si se tratara del lanzamiento de una campaña de algún programa de salud pública, el cual seguramente no se llevaría a cabo.

Mi experiencia fue muy grata cuando, tiempo después, pude comprobar que ese proyecto de *Sexo Seguro, A. C.*, se había materializado, funcionaba, daba servicio y se movía, no únicamente como una página de internet y en redes sociales, sino que la propia Rosario buscaba espacios en medios –cualquiera que éstos fueran– para difundir, presentar y, si era necesario, debatir al respecto sobre temas de sexualidad, con los jóvenes y con organizaciones e instituciones.

En esta ocasión, Rosario me vuelve a sorprender al presentar: ¿SEXO? ¡SÍ!, PERO SEGURO, un libro extraordinario, con información recopilada a partir de una investigación hecha con la mayor seriedad, responsabilidad, profesionalismo y, lo más importante, realizado con la más alta capacidad técnica y científica que pueda tenerse del tema. Es una joya para los jóvenes que quieran informarse. Se trata de una herramienta para todos aquellos padres que por formación, ignorancia o por cualquier otra razón no pueden, no saben o no han querido tratar una temática "tabú" con sus hijos.

¿SEXO? ¡SÍ!, PERO SEGURO, ofrece a los jóvenes un plano real, tangible, duro, de los temas que regularmente se tratan en planos del placer y de confort. En esta invaluable publicación, Rosario escribe sobre temas como infecciones, embarazos, anticonceptivos, abortos, relaciones prematrimoniales, riesgos y, lo más importante en estos temas, escribe sobre el amor, el amor de pareja y sus inminentes conexiones con temas de responsabilidad y verdadera felicidad.

Desafortunadamente hoy día, son más los documentos sobre sexualidad que, en lugar de informar responsablemente, lo único que ofrecen es desinformar; que en el mayor de los casos presentan fórmulas para salir del paso y, a diferencia del trabajo de Rosario, no hablan con la verdad de situaciones, acciones y consecuencias del ejercicio irresponsable de la sexualidad.

Hoy día es muy difícil presentarse con la verdad a tantos y tantos jóvenes que ven desvirtuada su sexualidad por modelos que adoptan de contenidos enfermizos, conceptos totalmente equivocados que trastornan sus mentes, acaban con sus relaciones y modifican en forma negativa sus actitudes cuando comienzan a tomar decisiones. Observamos con tanta naturalidad cómo se sugiere a las mujeres abortar hijos que llevan en su vientre, por el solo hecho de no convenir que nazcan, mediante argumentos monstruosos que aseguran que lo que llevan dentro no es una vida humana, que "son sólo un montón de células" y que despojándose de ellas van a estar mejor. Nunca se les habla, a estas mujeres desesperadas, de las secuelas psicológicas permanentes, pues es más fácil adoptar posturas políticamente correctas que decir la verdad; es más fácil proteger huevos de tortuga que vidas humanas en formación; es más sencillo recomendar a un adolescente usar un preservativo y preocuparse de manera equivocada de él, que adoptar comportamientos sensatos de acuerdo con su edad reproductiva para no dañar vidas ajenas; es más "divertido" platicar una infidelidad que ser fiel a la pareja, pues esto último suena aburrido; hoy es tremendamente popular quien bajo los efectos del alcohol se desinhibe y tiene relaciones sexuales con quien sea, pero jamás les hablan de las consecuencias; hoy se venden más libros y programas de televisión, cine o radio si contienen cargas elevadas de desinformación o de irresponsabilidad; hoy es más fácil ser relativista en todos nuestros comportamientos que asumir el desafío de mantener posiciones firmes y seguras que nos mantengan verdaderamente a salvo, aunque luego nos arrepintamos toda la vida, y todo debido al "qué más da".

Hoy vemos a miles de familias desintegradas por culpa de vicios, malos usos, irresponsabilidad y criterios equivocados de la sexualidad; hoy vemos cómo personas en edad adulta se siguen comportando como menores por razones de mala formación y desinformación; los vemos abandonar a sus familias y terminar con sueños de muchas personas a su alrededor por haber adoptado modelos equivocados que al tiempo son los lastres que los acompañarán toda la vida.

Es por todo esto, después de ser testigo del trabajo y dedicación de la doctora Laris, que me resulta todo un honor poder participar en una oferta que ayudará a miles de jóvenes a informarse sobre la realidad de la sexualidad en su vida. Cuando la mayoría aprende, al parecer, de malas experiencias, de testimonios de otros jóvenes, de adultos que en su mayoría están muy mal informados, cuando los lectores son víctimas de autores de libros que pretenden vender ejemplares, caer bien o tratar de "ser *cool*", en lugar de otorgarle un beneficio de por vida a sus jóvenes lectores, es un gusto poder participar al menos en la presentación de un libro responsable, ameno y formativo que puede encausar o cambiar la vida de muchas personas, informándolas responsablemente sobre el sexo y el sexo seguro.

Hoy la doctora Rosario Laris nos presenta el resultado de años de formación profesional, de trabajo de campo y de madurez académica. Es, repito, un regalo para jóvenes, padres, familias y futuras familias. No me queda más que recomendar ampliamente su lectura, consulta o lo que se quiera de este fabuloso trabajo.

ESTEBAN ARCE*

---

* Comunicador, titular de los noticiarios *El Matutino Express, 52 minutos* y *D´ComentArce.*

ÍNDICE DE CONTENIDO

INTRODUCCIÓN

¿Cómo saber si lo que siento es amor, si mi novio me quiere?, ¿cómo vivir el sexo seguro?, ¿es bueno practicar el sexo en el noviazgo?, ¿él me quiere pero como un *free*, o una relación sin compromiso?, ¿me harán daño los anticonceptivos?, ¿es seguro el condón?, ¿acepto lo que mi novio me pide para estar cerca de él?, ¿vale la pena tener novio en la adolescencia?

Cuántas preguntas vienen a nuestra mente, al corazón, al pensar en el chico que nos gusta y en una posible vida al lado de él.

En este pequeño libro, responderemos a estas y a muchas otras inquietudes de chicas como tú, inquietudes sobre la sexualidad y el amor. Te compartiré mi experiencia como médico en la orientación de casi siete mil consultas de jóvenes que como tú han tenido dudas sobre este tema. Analizaremos las estadísticas y los datos científicos sobre estos tópicos. Reflexionaremos y, juntas, descifraremos qué es el amor, el sexo seguro y cómo vivirlo.

¿SEXO? ¿AMOR? ¿QUÉ ONDA CON ESTO?

Capítulo 1

Antes de hablar sobre sexualidad y amor, es importante que respondas estas sencillas preguntas para que te des cuenta de los conocimientos que tienes sobre la sexualidad, y así aproveches más la lectura de este libro.

¿Qué es para ti la sexualidad? _____

_____

¿Para qué sirve la sexualidad? _____

_____

¿Para ti, la sexualidad es mala o buena? _____

_____

¿Qué es el amor? _____

_____

¿Alguna vez has amado a alguien, a quién? _____

_____

¿Por qué crees que has amado, qué sentías, cómo lo vivías?

_____

_____

¿En qué momento crees que uno debe tener relaciones sexuales?

_____

_____

¿Atracción, gusto, cariño, sexo, amor? Cuántas palabras vienen a nuestra mente cuando pensamos en la sexualidad. Aunque sabemos que la sexualidad está presente en nuestra vida, muchas veces no tenemos claro cómo concebirla pues, ¿solamente pensamos en ella cuando conocemos al chico que nos gusta o pensamos en la sexualidad en todo momento?

La sexualidad es parte de ti, es una parte esencial de tu ser, de tu personalidad, y te permite expresarte y comunicarte con los demás. La sexualidad es la forma más importante para expresar el amor humano.[1] Tu sexualidad es profundamente especial, es algo único, sólo tuyo, que debe ser cuidado como un tesoro, pues ese tesoro eres tú.

La palabra sexo viene del latín _secare_, que quiere decir "separar". Esto nos indica que para vivir la sexualidad plenamente, se requiere de las diferencias que existen entre un hombre y una mujer para que el complemento sea perfecto, pues, aunque somos iguales en inteligencia y dignidad, en todo lo demás somos distintos.

¿Nunca te has preguntado por qué las mujeres podemos hacer varias cosas al mismo tiempo? Por ejemplo, si uno está viendo la TV, también puede comer, mandar mensajes por celular y tener una conversación. Pero los hombres no son así, si ellos ven la TV, no pueden poner su atención en otra cosa. Bueno, pues esto te hace ver cómo somos tan distintos. En la parte física, las diferencias resaltan a simple vista, el hombre tiene los genitales externamente, y la mujer, internamente; asimismo, mientras el hombre tiene mayor fuerza física, la mujer es más cuidadosa en sus movimientos. Desde el punto de vista emocional, la mujer es más sensible, cuidadora, y el hombre, por su parte, es protector, proveedor, más claro y directo. En resumen, las mujeres piensan, sienten y actúan distinto de los hombres. Gracias a estas diferencias se logra el complemento necesario para unirse en uno solo, crecer en el amor y poder formar una familia de manera natural.

La sexualidad humana se da sólo entre personas, y la atracción surge por aquello que es distinto de ti. Los sexos opuestos se complementan. Gracias a las diferencias físicas, psicológicas y espirituales entre un hombre y una mujer puede lograrse una fusión perfecta, convirtiéndose en un solo cuerpo. Es como el ejemplo de la llave y la cerradura, la mujer es la cerradura y el hombre es la llave, se necesita de ambos para poder abrir la puerta y vivir, disfrutar y crecer en el amor. La llave y la cerradura embonan, están hechos el uno para el otro; cada cerradura tiene sólo una llave que puede abrirla. Es decir, para ti existirá un solo hombre que será tu complemento perfecto.

La sexualidad humana tiene varias dimensiones que están unidas entre sí, no pueden separarse. **1. Dimensión afectiva:** los sentimientos que se tienen por otra persona y el cómo se expresan, es decir, el cariño, el cuidado, la preocupación por el bien del otro. **2. Dimensión del conocimiento:** se refiere a conocer al otro, a disfrutar de su compañía y a cómo se va forjando una amistad entre los dos, por ejemplo: el compañerismo, la ayuda mutua (antes de hablar de amor, el primer paso es la amistad). **3. Dimensión del gusto o el placer:** se refiere a la alegría de estar cerca de la persona amada, la felicidad cuando te da la mano o un abrazo; esto culmina al tener una relación sexual, como la expresión más íntima del amor. **4. Dimensión procreativa:** gracias a las relaciones sexuales, crecemos como personas en el amor; esta expresión puede generar una nueva vida humana, un hijo; gracias al amor, podemos convertirnos en madre y padre.

Debes saber que tanto la mujer como el hombre alcanzamos la madurez biológica mucho antes de tener la madurez en todos los demás aspectos,[2] es decir, tu cuerpo puede ser como el de un adulto, pero puede faltarte madurez emocional, afectiva, así como concluir una preparación académica, trabajar o tener independencia económica. Por lo general, el cuerpo se desarrolla de manera normal, siempre y cuando te alimentes bien, no padezcas alguna enfermedad y no tengas vicios; si es así, no habrá problema para que tu cuerpo de niña se convierta en el de una mujer. Pero en relación con las facetas emocional, afectiva, intelectual y espiritual, se necesita de un trabajo más arduo y de tomar buenas decisiones para lograr la madurez.

Somos cuerpo, mente y espíritu. Tu cuerpo eres tú, tu cuerpo es tu propia persona. Si algo le pasa a tu cuerpo te está pasando a ti. Si tu cuerpo está sano tú estás sana, pero si tu cuerpo está lastimado, tu mente y tu espíritu recienten el daño. De igual forma, si tus emociones están lastimadas, tu cuerpo y tu espíritu pueden sentirse heridos. Eres única y tan especial que no hay nadie como tú en todo el universo. ¿Te das cuenta del valor que esto significa?, ¿te das cuenta por qué es importante que tu cuerpo, mente y espíritu estén bien?

Las personas somos muy distintas a los animales. Una de estas claras diferencias es en el tema de la sexualidad. Los animales se unen únicamente con fines procreativos para preservar la especie, pero la sexualidad entre un hombre y una mujer es completamente distinta. En este cuadro, se destacan las diferencias entre personas y animales en torno a la sexualidad:[3]

Sexualidad humana	Sexualidad animal
Se pueden controlar los impulsos gracias a la inteligencia.	Los impulsos no se pueden controlar, todo se debe al instinto.
Está siempre presente, esté fértil o no la mujer.	Sólo se da cuando la hembra está en periodo fértil.
Es un acto consciente.	El animal no entiende el sentido de este acto.
El proceso de excitación (sobre todo en la mujer) es complejo.	El proceso de excitación es reflejo.
La libertad y la voluntad hacen posible esperar para las relaciones sexuales hasta el matrimonio.	Es determinista, es decir, que no se puede esperar, no se ve un bien mayor en esto.
Se puede elegir a la persona con quién compartir nuestra vida, con base en una escala de virtudes, valores, afinidades y plan de vida.	No existe elección en relación con las virtudes y valores.
La relación sexual puede vivirse como expresión del amor entre un hombre y una mujer.	El animal realiza este acto por instinto.

La sexualidad humana tiene todo este potencial descrito, es decir, que si una toma las decisiones correctas y sabe elegir al hombre para compartir toda la vida, la sexualidad puede ser plena, feliz, y ambos crecer en el amor.

Lamentablemente, existen muchas personas que viven una sexualidad más parecida a la animal que a la humana. Esto sucede cuando domina el instinto sobre la razón, tal es el caso de relaciones sin compromiso, en las que generalmente la mujer es utilizada para satisfacción del hombre y se vive esta relación sin amor ni exclusividad. Pero no olvides que todas tenemos la inteligencia y la voluntad para tomar las decisiones que nos permitan luchar para vivir la felicidad plena, y que tú tienes la capacidad y el derecho de elegir cómo vivir la sexualidad de la mejor manera.

¿Alguna vez has pensado cómo deberían ser tus primeras relaciones sexuales? Casi todas las mujeres deseamos que sea con un chico al que amemos y nos ame; que las relaciones nos unan a él, nos hagan felices, sentirnos plenas, seguras y confiadas; que con él compartiremos nuestra vida, que nunca nos dejará, que será nuestro compañero y que será únicamente para nosotras. ¿O a alguna le gustaría saber que después de haber desnudado el cuerpo, la intimidad, nuestras emociones y el espíritu, ese chico "especial" podría usarnos y abandonarnos?

PERO, ¿QUÉ ES EL AMOR?

¿Qué sentido tendría nuestra vida si no fuera amar a los demás? Nacimos y fuimos creados para amar. El amor nos mueve, mueve nuestra voluntad, nos invita a ser mejores cada día, a dejar el egoísmo fuera del corazón y pensar en los demás, pero sobre todo nos motiva a buscar a aquella persona, nuestra alma gemela, media naranja o complemento perfecto, con quien podamos compartir nuestros sentimientos, momentos inolvidables, dificultades, alegrías, llanto, logros y por supuesto nuestra sexualidad, es decir, con quién vivir la vida misma.

El amor es la esencia de nuestra vida, lo que nos mueve y nos hace crecer. Somos criaturas que, por esencia, buscamos amar y ser amadas. El primer amor que conocemos es el de nuestros padres. El amor de tus papás es incondicional, ellos te quieren si te portas bien o no, si estudias o no, si estás en días buenos o malos, si engordas o enflacas, si estás triste o con mucha pila; ellos te quieren siempre, te han cuidado desde que eras pequeña, te han dado lo mejor y siempre buscan que estés bien, aunque a veces no lo parezca. Después del amor de nuestros padres, contamos con el amor de nuestros hermanos, abuelitos, tíos, primos, es decir, el de nuestra familia. Conforme pasa el tiempo y crecemos, buscamos el cariño y la comprensión de nuestros compañeros de clase; después, en la adolescencia hacemos amigas y amigos, hasta tenemos una mejor amiga; finalmente, en la edad adulta, deseamos encontrar el amor de un hombre con quien podamos platicar, contar con su atención y comprensión, que sea nuestro mejor amigo, nuestro compañero, nuestro cómplice, con quien podamos soñar y alcanzar nuestros planes de vida y a quien podamos entregarle cuerpo, mente, espíritu, casarnos, vivir la sexualidad y poder concretar ese misterio llamado amor, con la llegada de nuestros hijos. Vivir el amor es maravilloso, y la sexualidad como expresión del amor, es un gran regalo.

Respecto a la sexualidad es importante que sepas que las relaciones sexuales tienen dos objetivos que no pueden separarse:

1. El primer objetivo y más importante es el **"unitivo"**, esto significa que el sexo sirve para unir, para fusionar, para crear un lazo imborrable entre el hombre y la mujer, es decir, que entregarle tu vida a alguien te ata por siempre al recuerdo de esa persona. Las relaciones sexuales son para amar, para culminar el pacto de amor, para llevar la relación a un estado de continuo crecimiento y de integración entre ambos. El sexo es aquella cereza del pastel que se disfruta después de haberlo preparado con esmero, con dedicación, con detalles, con elección, y de haber decidido compartir toda la vida con aquella persona. El sexo está hecho para enamorarnos más de nuestro amado, para que él quede anclado a nosotros para siempre, para poder vivir el amor humano de manera plena, intensa, en unión y comunión, y así poder estar juntos todos los días de nuestra vida.

2. El segundo objetivo de la sexualidad es el **procreativo**, es decir, que desde el punto de vista biológico, psicológico y espiritual esa entrega total de amor entre el hombre y la mujer sea fecunda y nos haga crecer. La sexualidad nos invita a estar abiertos a la vida, entregarnos y donarnos a nuestro amado, a aceptarlo tal como es en su totalidad, sin poner barreras de ningún tipo de por medio, lo que genera una fuerza tan grande entre los dos que puede culminar con la llegada de una nueva vida humana,[4] es decir, con un hijo. El amor entre el hombre y la mujer es tan grande que puede generar una nueva vida, ¿te das cuenta el poder de la sexualidad? Ahora, esto no implica que en una relación sexual siempre deba esperarse la llegada de un bebé, pues la naturaleza le ha dado a la mujer las herramientas suficientes para identificar cuándo es fértil y cuándo no, y de esa manera, junto con el hombre, planear la llegada de los hijos y vivir la paternidad responsable. La fertilidad es una característica de la sexualidad que siempre está presente. En la mujer es cíclica, es decir, que la mujer es fértil tan sólo unos días al mes, todos los meses; pero el hombre es fértil los 365 días del año, a cualquier hora. Asimismo, a diferencia de las mujeres, los hombres experimentan el orgasmo al momento de eyacular (salida de los espermatozoides por el pene), es decir, el placer en ellos está íntimamente ligado con la posibilidad de dar vida. Esto debe hacernos pensar que la unión en una relación sexual está asociada con la llegada de un bebé.

Por todo esto, el sexo no es cualquier cosa, pues implica la entrega de toda nuestra persona, nos une y nos da la oportunidad de crecer en la relación y de dar vida, es decir, de ser padres. ¿No será que la mejor forma de vivir la sexualidad es dentro de una relación donde haya amor, fidelidad y compromiso para toda la vida?

PERO, ¿CÓMO SÉ SI LO QUE VIVO Y SIENTO ES AMOR, Y SI MI NOVIO SIENTE AMOR POR MÍ?

Tus sentimientos son importantes, pero al momento de hablar de amor, no sólo hay que pensar en lo que "sientes" sino también en lo que "eliges". Para saber elegir, hay que tener cierta madurez física, pero sobre todo emocional y espiritual. Por ello, es difícil hablar de amor en la adolescencia. A continuación, te explico por qué.

En la adolescencia la parte emocional y los sentimientos son cambiantes; hay veces que te levantas triste y al paso de 15 minutos ya estás feliz, pero tienes examen en la escuela y estás nerviosa, después te sientes cansada y nuevamente triste, pero si ves al chico que te gusta vuelves a estar feliz; camino a tu casa recuerdas que te peleaste con tu mejor amiga y vuelves a estar triste, pero escuchas tu canción favorita en la radio y vuelves a estar feliz. ¿A poco no te sucede esto todo el tiempo? Lo mismo te pasa con los chicos, conoces a uno que podría gustarte, pero luego miras la revista de tu artista favorito y te gusta más que aquel chico; tres días después conoces al primo de tu mejor amiga y te gusta también. ¿Ves?, esta es una etapa donde los sentimientos están a flor de piel; por eso, es que es casi imposible hablar de amor en este momento. Y no creas que te pasa sólo a ti, a los chicos les pasa lo mismo, ellos no aman a esta edad, sólo tienen emociones cambiantes con sentimientos por las chicas: la que les gustaba ayer, una semana después ya no les gusta, porque conocieron a otra que les ha gustado más.

Es por eso que la mejor decisión en la adolescencia es tener amigos, solamente amigos, y muchos. La amistad en la adolescencia es un gran regalo, pues con tus amigas y amigos puedes compartir momentos, sentimientos, emociones, aprender juntos, pasarla bien. Pero recuerda que amigos no son "amigos con derechos" ni "amigovios", ni "amigos para besarse y experimentar", ni *frees*, sino únicamente amigos, donde exista confianza y tú te sientas tranquila al saber que no existe un interés sexual sobre ti, ni te sientas usada.

¿Sabías que la mejor forma para saber cómo piensan los hombres es teniendo amigos? Al tener muchos amigos, aprenderás y te darás cuenta de cómo se expresan de las mujeres, cómo las tratan, qué quieren para el futuro, cuáles son sus anhelos y en qué se fijan en las mujeres. Así, podrás tomar conciencia mucho más fácil de quién es el chico que vale la pena.

En el momento en que uno crece y se da cuenta que un chico le gusta, se viven varias etapas antes de hablar de amor:

1. El primer paso es la atracción. Si ya has tenido varios amigos y has conocido a muchos con el paso del tiempo, es probable que alguno empiece a gustarte; puede ser un chico guapo o que tenga algo especial para ti, que te atraiga físicamente, por su personalidad, por ser deportista o por ser muy educado contigo. Frente a él puedes sentirte nerviosa, y pasar todo el día pensando en él.

Es importante que desde este primer paso te des tu lugar, que sea el chico quien te busque. En esta época donde estamos más comunicados que nunca, nuestras relaciones se han vuelto menos personales, por lo que hay que dejar claro que el hombre debe esforzarse por la mujer, y es él quien debe cortejarla. ¿A qué me refiero con esto? Cada día se vuelve más fácil entablar conversaciones y relaciones por *Facebook*, *chat*, *whatsapp*, mensajitos y cualquier forma virtual que deja de lado el esfuerzo que implica una relación en la que el hombre tiene que ir a casa de la chica que le gusta, conocer a sus papás, llamarle por teléfono, invitarla a salir, etc. Si desde este primer momento te das tu lugar, es más probable que el chico que te gusta se sienta atraído por ti, y que le quede claro que no eres una mujer fácil. Recuerda que a todos los hombres les gustan las mujeres que se arreglan, que son atractivas; pero su interés real despierta en la manera en que se comportan las chicas. Una mujer que se da a respetar, con el tiempo despierta mucho más interés en los hombres que aquellas mujeres que no saben darse a respetar. Tú eres una mujer especial y valiosa. Por tanto, si el chico que te gusta está listo para conocer a una mujer como tú, se esforzará en conocerte, buscarte, hablar contigo, ir a tu casa y conocer a tus papás. Es él quien debe buscarte. Si no te busca es porque no te está valorando, entonces no vale la pena y no es para ti.

2. El segundo paso es el enamoramiento; el cual no es sólo el gusto o la atracción sino que ya es un sentimiento. En esta situación, te sientes feliz a su lado y sientes "mariposas en el estómago" cuando te busca, te llama, te da la mano o cuando piensas en él. Aunque esto puede ser el inicio de una relación duradera, únicamente nos indica que ese chico nos gusta, que tú le gustas a él, pero no es la referencia de que exista amor. En esta etapa generalmente se inicia una relación. Si existe cariño entre los dos y quieren estar juntos, este es un buen momento para empezar un noviazgo, conocerse más y empezar a vivir la fidelidad.

Como te comenté en el punto anterior, es importante que el hombre se esfuerce por la mujer desde el inicio de una relación, sobre todo si ésta se concreta en un noviazgo. Piensa por un momento lo fácil que puede ser declarársele a alguien por chat, mensajito o por Facebook, sin que ella esté presente; en comparación con ir a su casa, invitarla a salir, conocer a su familia y amigos, y pedirle que sea su novia viéndola a los ojos, con la conciencia de lo que este compromiso significa. Tú vales la pena para ser tratada así. Un chico que quiere una relación virtual, no está valorándote como mereces.

¡Cuidado! En este momento pueden darse relaciones tipo "amigos con derechos", "amigovios", "frees", "amigos para besarse y experimentar" o cualquier otra forma que no implique compromiso. Para los hombres es muy cómodo estar con una chica que les gusta, que pueden besar o acariciar sin compromiso. Debes estar muy alerta, pues un joven que no quiere ser tu novio formalmente es un chico que no te está valorando, que no te quiere, y no vale la pena que te rebajes a permitir una relación así. El chico que realmente te quiere te va a presentar con todos como su novia, te va a llevar a conocer a su familia, querrá conocer a la tuya, deseará estar contigo en todos lados y que la gente sepa que eres su novia.

3. El tercer paso es el amor. Ya dentro del noviazgo, en una relación formal, en la edad adulta, en la que ya han compartido mucho tiempo juntos, existe respeto y fidelidad, puede empezar a vivirse el amor. El amor no es un sentimiento (aunque seguirás teniendo el gusto, la atracción por él y las mariposas en el estómago); el amor es una elección objetiva por la persona con la que se compartirá cada día, cada mes y cada año de nuestra vida; es una elección con base en nuestros valores personales, dentro de una relación, en la que lo más importante sea la exclusividad, la fidelidad y el crecimiento personal de ambos para poder alcanzar la felicidad. Es decir, el amor es la elección que hacemos, pues nosotros decidimos a quién amar. Lo escogemos con base en nuestros valores, en los valores que tenga el chico que nos gusta, al ver cómo nos trata frente a su familia, sus amigos, el lugar que tenemos en su vida; si es una persona honesta, si antes de pensar en sus gustos piensa en ti y en tus necesidades, si es trabajador, si cuida de ti y, sobre todo, si te es fiel y te respeta. El amor implica que tú estarás con él, sólo con él, para toda la vida y para formar una familia.

El amor es algo que se descubre con el tiempo, durante el noviazgo. Día a día valoramos si nuestro novio es la persona con quien queremos compartir toda nuestra vida o, en caso de que no sea así, decidir terminar la relación.

Dentro del noviazgo es importante darle tiempo al tiempo, platicar mucho para conocerse, permitirse vivir momentos de convivencia con la familia, los amigos y vivir situaciones cotidianas que de alguna manera nos dejen ver cómo se afrontan las situaciones de la vida, los problemas, los retos y qué se espera del otro cuando sea nuestro esposo, el padre de nuestros hijos y nuestro compañero para toda la vida. Por ejemplo, deberás platicar qué relación existirá con los amigos y amigas de cada uno, es decir, si él seguirá saliendo de noche con sus amigos sin ti o viceversa; si la prioridad en la vida será el trabajo o tan sólo una forma de "ganarse la vida", siendo lo más importante su esposa y para ti tu esposo. Deberás platicar sobre los hijos, si él quiere tener hijos y cuántos; la manera en que los van a educar, a qué colegio podrían ir y si recibirán educación conforme a sus valores o su religión. Deberán haber platicado la forma en que van a administrar la casa (recuerda que en un matrimonio el dinero, gane quien lo gane, es de la familia, ninguno es dueño de nada y todo es de ambos). Deberán acordar con qué familia pasarán las fiestas importantes como el día de la madre, Navidad, Año Nuevo y lo que harán los fines de semana, si irán a visitar a sus familias o pasarán más tiempo solos. Así como estos temas, existen muchos más que deberás conversar en el noviazgo; pues este es un tiempo muy valioso para platicar y platicar.

El amor, en toda la expresión de la palabra, implica atracción, gusto, pero también responsabilidad, buscar el bien del otro; implica un compromiso real, con fidelidad y exclusividad. Sólo de esta manera podemos sentirnos seguras dentro de una relación y entregarnos de manera completa y sin reservas.

EL AMOR VERDADERO SÍ EXISTE

Sé que tal vez para ti puede ser difícil creerlo, sobre todo si en nuestra propia vida no lo hemos experimentado del todo. ¿Qué podemos pensar sobre el amor cuando en nuestra familia hemos visto esposos gritarse, incluso golpearse, cuando hay papás que se desentienden de su esposa e hijos, madres adolescentes sin ninguna responsabilidad asumida por el hombre y familias destruidas por la infidelidad o las drogas? ¿Cómo pensar que el amor puede ser algo duradero y no sólo la emoción y vivencia de un pequeño momento en nuestra vida?

Debes saber que de un preciso instante de amor, de locura de amor, es como llegaste al mundo. No me refiero al día en que naciste, sino a aquel momento mágico en que la unión de un óvulo de tu mamá y un espermatozoide de tu papá crearon a este gran regalo de la vida, único y excepcional que eres tú. Pero tú, ¿un regalo único? Claro que sí, eres única, eres increíble, una maravilla. No sé si alguien te había dicho esto, pero eres muy especial y no existe otra en todo el universo como tú, con tu rostro, tu sonrisa, tu alegría, tus cualidades y, ¿por qué no? también tus defectos. **De los siete mil millones de seres humanos que habitamos en el mundo, no existe una persona, una sola mujer igual a ti.**

Por un momento, cierra los ojos y piensa en todas las cosas buenas que tienes para dar a los demás, piensa en todas tus cualidades y en lo que te hace ser diferente de tus amigas, tus hermanos, tus compañeros del colegio. Créeme que nunca habrá nadie como tú. Es importante que siempre tengas claro lo que vales, que eres una gran mujer, que debes ser tratada con respeto por los chicos, y que mereces y encontrarás un amor.

Las relaciones sexuales son la manera más íntima y personal de demostrar el amor, pues tanto el hombre como la mujer entregan todo su cuerpo, mente y espíritu, y buscan hacer feliz al otro. Por eso, para que la entrega llegue a la plenitud, ambos deben estar 100% seguros de su amor y compromiso; deben haber elegido al otro de manera objetiva, sin dejarse llevar por el gusto o el enamoramiento: realmente deben haber valorado las cualidades y virtudes que tiene, así como sus defectos.

Las relaciones sexuales vividas como consecuencia del amor son las relaciones más plenas, unificadoras, amorosas y satisfactorias, tanto para el hombre como para la mujer, pues la sexualidad no inventa el amor, sino el amor es lo que nos revela la naturaleza de la sexualidad.[5] Por eso, uno no "hace el amor", sino que con las relaciones sexuales uno "expresa el amor" que ya existe entre ambos.

Es así que la sexualidad es un gran regalo de la vida, es nuestro tesoro. Gracias a la sexualidad, uno puede expresar el amor a la persona que ha elegido, pero como hemos visto, hay que ser cuidadosos al hablar de amor, porque no es tan sencillo; éste se vive cuando hay un compromiso para toda la vida, exclusividad, fidelidad y… matrimonio.

Debes tener cuidado, pues las mujeres acostumbramos a confundir una simple amistad o relación de noviazgo con "el amor de nuestra vida", y podemos salir lastimadas por esto. Es importante que seas prudente frente a tus impulsos y deseos, que pienses las cosas, que no dejes llevarte por los "sentimientos" (pues ya vimos que son muy cambiantes) y que des tiempo a la relación, sobre todo para que estés segura de que eso que sientes no es sólo un espejismo, que realmente el chico que te gusta vale la pena para establecer un noviazgo y casarse en un futuro. Si el chico con el que estás es el amor de tu vida y son el uno para el otro, lo seguirán siendo a través del tiempo, en las buenas y en las malas, por lo que debes ser paciente, y así no te equivocarás al elegir. Recuerda que lo más importante en el noviazgo es conocerse, platicar, conversar, hablar de todo; pero si tienes la boca ocupada besándolo y tu mente en las nubes pensado en sexo, no podrás hablar.

TEST PARA TU RELACIÓN

Para poder descubrir si tu relación va hacia la construcción del verdadero amor, te presentamos el siguiente *test*, en el que deberás contestar verdadero o falso según las situaciones que hayas vivido o actualmente vivas dentro de una relación:

	Situación	Verdadero	Falso
1	Tienen una relación formal de noviazgo (te presenta como su novia ante sus amigos y familiares).		
2	Sólo son "amigos con derechos" o un *free*.		
3	Su relación está basada en la atracción física.		
4	La base de su relación es la comunicación, la amistad, la aceptación del otro, la atracción física, emocional y espiritual.		

	(Continuación)		
	Situación	Verdadero	Falso
5	Se abraza y se comporta cariñoso con otras chavas o tiene amigas con las que se ve a solas sin tu presencia.		
6	Busca el placer sexual a toda costa, y sólo piensa en él y su satisfacción personal.		
7	Piensa en ti antes que en él. Busca respetar tu crecimiento personal.		
8	Él se droga o te ha invitado a usar drogas.		
9	En su relación, cada uno puede expresar sus puntos de vista de manera plena. La comunicación les permite conocerse cada día mejor.		
10	Eres mejor persona cuando estás al lado de él.		
11	Has tenido problemas en la escuela, con tus padres o familiares por esta relación		
12	Es paciente y sabe disfrutar cada momento juntos sin incitar a los tocamientos, fajes o encuentros sexuales.		
13	Viven el momento, la improvisación. Es incapaz de asumir metas altas y valores duraderos.		
14	Sientes que si no actúas como lo que él espera de ti, dejará de amarte y puede terminar la relación.		
15	Estás dispuesta a iniciar la relación como "amigos con derechos" esperando a que con el tiempo él se enamore de ti y se quiera comprometer.		
16	Le tiene miedo a la paternidad, y te ha incitado a usar la píldora de emergencia o del día siguiente, si es que han tenido relaciones sexuales.		
17	Te llama la atención conocer a otros chicos. Cuando no estás con él, aprovechas para platicar con otros.		

18	Estudia y trabaja todos los días pensando en forjar un futuro para cuando se casen.		
19	Te ha propuesto vivir juntos para probar si son compatibles antes de comprometerse.		
20	Alguna vez te ha gritado a solas o frente a sus amigos o familiares.		
21	Te trata con cariño, ternura y siempre te da tu lugar frente a los demás.		
22	Está dispuesto a esperar por las relaciones sexuales hasta que se casen, y a que su relación sea para toda la vida.		
23	Te sientes feliz, pues compartes tu vida con otra persona, pero no dejas de ser tú misma.		
24	Te sientes celosa todo el tiempo, pensando en que él pueda mirar o platicar con otras chicas, que puedan llamarle más la atención que tú.		
25	Es de los que creen que la "hormona mata neurona" o que "la carne es la carne", y que él no puede estar sin tener sexo.		
26	Son fieles al 100%.		
27	Te habla con groserías o con falta de respeto.		
28	Prefiere no presentarte todavía con su familia o amigos porque se siente inseguro.		
29	Te dice que necesita tener relaciones sexuales contigo para ver si son compatibles sexualmente.		
30	Acata las normas y los horarios que te permiten tus papás.		
31	Dice que te ama y que por eso pueden tener relaciones sexuales, aunque no estén casados.		
32	Se valoran y han preferido por el momento ser mejor sólo amigos.		

Si contestaste verdadero en las respuestas: *1, 4, 7, 9, 10, 12, 18, 21, 22, 23, 26, 30* y *32*, ¡felicidades!, estás en el camino de construcción hacia un amor que pueda durar para toda la vida, un amor para comprometerse y en un futuro casarse.

Si contestaste sí en: *2, 3, 5, 6, 8, 11, 13, 14, 15, 16, 17, 19, 20, 24, 25, 27, 28, 29* y *31*, deberás valorar tu relación, pues tal vez no vaya por el camino más adecuado y podrías terminar lastimada. A continuación, analizaremos más a fondo estas respuestas para entender por qué este tipo de conductas no llevan a nada serio.

Situación 2: Sólo son "amigos con derechos" o un *free*. Un *free* no es el primer paso antes del noviazgo: es una falta de compromiso. Si desde el principio no quiso ser tu novio, ni formalizar la relación, seguramente no lo hará después, pero tú corres el riesgo de enamorarte demasiado de él y tolerarle cada vez más situaciones que te hagan sentir sola y triste.

Situación 3: Su relación está basada en la atracción física. Para que las relaciones sean profundas y duraderas, no pueden estar basadas en el atractivo físico. Claro que es importante gustarle a tu novio y que él te guste a ti, pero si sólo te quiere por tu físico, entonces no está considerando todo lo que vales como mujer. El físico no lo es todo, es una parte, pero no la más importante.

Situación 5: Él se comporta cariñoso con otras mujeres o tiene amigas con las que se ve a solas sin tu presencia. La fidelidad no es sólo para vivirla dentro del matrimonio, ni la infidelidad implica únicamente tener relaciones sexuales con otra persona. Vivir la fidelidad comienza desde que volteas a ver a otros chicos cuando tienes novio o les coqueteas; y lo mismo aplica para los hombres. Dentro del noviazgo, debe vivirse la fidelidad, porque si a él le gusta coquetear con otras chicas, es que no está comprometido contigo o que es muy inmaduro, y esto puede generarte celos y tristeza al sentir que no te valora.

Situación 6: Busca el placer sexual a toda costa, piensa en él y su satisfacción personal. Si él quiere tener relaciones contigo (aunque no te lo diga de manera directa, pero sutilmente hace todo lo posible porque esto pase), no está pensando en ti, sino en él y su placer; ello hace notar que es un chavo egoísta. Esto es muy peligroso, pues siempre va a actuar para su beneficio personal y no va a pensar en lo que es mejor para ti. El chavo que quiere algo serio contigo te respeta, te cuida y deberá sacar fuerzas (él sabrá de dónde) para aprender a esperarte.

Situación 8: Él se droga o te ha invitado a usar drogas. Está comprobado científicamente que las drogas afectan la salud de los jóvenes y que crean adicción. Un chavo que se droga con regularidad, difícilmente dejará esta conducta; por el contrario, puede incluso incitarte para que inicies en el consumo, lo cual te indica que él es inmaduro, egoísta y que no sabe lo que quiere. Esto a ti te puede costar la salud, el futuro y la vida. No te arriesgues, si él usa drogas, déjalo.

Situación 11: Has tenido problemas en la escuela, con tus padres o familiares por esta relación. Cuando uno es joven, está dispuesto a enfrentar a todos con tal de "encontrar y vivir el amor"; pero recuerda que tus papás tienen más experiencia que tú y ven muchas cosas que tú todavía no. Asimismo, la escuela es un parámetro para darnos cuenta de cómo vamos avanzando en la vida. Si tus papás no aprueban la relación, platica con ellos, explícales tus puntos de vista, pero escúchalos, pues ellos son las personas que más te quieren y buscan tu bien.

Situación 13: Vive el momento, la improvisación. Es incapaz de asumir metas altas y valores duraderos. Un hombre que encuentra a una mujer valiosa (como eres tú) debe darse cuenta de esto, debe empezar a dirigir todo su esfuerzo y su vida para estar contigo y preparar el futuro para el día de mañana ser un buen esposo, padre y proveedor. Si él sólo está pensando en la fiesta, los amigos, el reventón, el alcohol, el cigarro u otras cosas más fuertes como las drogas y el sexo, te está demostrando que es inmaduro, por lo que no te conviene engancharte con alguien así. Créeme, no va a cambiar por ti, sino hasta que la vida lo haga madurar; sin embargo, puedes salir muy herida de una relación así.

Situación 14: Sientes que si no actúas como lo que él espera de ti, dejará de amarte y puede terminar la relación. Si te sientes así, lo primero que tienes que hacer es estar segura de ti misma, de que eres valiosa y de que él debe aceptarte tal como eres (claro que tú debes hacer el esfuerzo para ser mejor persona todos los días), pero el amor no puede ser condicionado; si no, no es amor. Habla con él, que entienda cómo te sientes y valora si cambia respecto a esto. En una relación es muy importante que no dejes de ser como eres.

Situación 15: Estás dispuesta a iniciar la relación como "amigos con derechos", y esperas que con el tiempo él se enamore de ti y se quiera comprometer. Como te comenté en la respuesta a la *situación 2*, si él no quiere desde el principio comprometerse contigo, pero sí quiere las ventajas de este compromiso (los besos, los abrazos, tu cariño, tus detalles, que tú le seas fiel), entonces no te valora. Si tú cedes ante esto, nunca va a tomarte en cuenta. Recuerda que eres valiosa y el hombre que quiera estar contigo debe valorarte y darte tu lugar.

Situación 16: Le tiene miedo a la paternidad y te ha incitado a usar la píldora de emergencia o del día siguiente. Un hombre demuestra su hombría al ser responsable de sus actos. Cuando la sexualidad está fuera de un contexto de amor y compromiso para toda la vida, siempre alguno de los dos usa al otro. Para los chicos puede ser muy fácil tener relaciones sexuales, disfrutar, sentir placer y no pensar en la mujer. Cuidado, un hombre que sólo piensa en él y su placer, hará todo por conseguir lo que quiera, aunque tú puedas salir lastimada y se afecte tu salud.

Situación 17: Te llama la atención conocer a otros chicos y, cuando no estás con él, aprovechas para platicar con otros. Como ya lo hemos comentado, la fidelidad debe vivirse en el noviazgo por respeto a él y por respeto a ti. Si dentro de tu noviazgo todavía te gusta platicar y conocer a otros chicos, tal vez no estés lista para asumir una responsabilidad o el chico con el que estás no sea para ti. Cuestiona tu conducta y valora seguir con esta relación.

Situación 19: Te ha propuesto vivir juntos para probar si son compatibles antes de comprometerse. La unión libre no es compromiso, ni el paso anterior al matrimonio. Cuando un hombre te quiere, cuando verdaderamente te ama, hará todo lo posible para que estés con él para toda la vida, lo querrá compartir con sus papás, su familia y sus amigos; deseará que seas su esposa y que exista fidelidad y exclusividad para toda la vida, no que sólo seas su "querida" o su "pareja". Vales demasiado la pena, no permitas que él no te dé tu lugar.

Situación 20: Alguna vez te ha gritado a solas o frente a sus amigos o familiares. En una relación, la cordialidad y el cariño son fundamentales. Un hombre que no puede controlar su carácter y que se atreve a gritarte a solas o frente a otras personas es alguien que cualquier día podrá golpearte. Si tú le permites que te grite, con el paso del tiempo le permitirás otro tipo de conductas violentas. Aléjate de un chico que no te trate con delicadeza.

Situación 24: Te sientes celosa todo el tiempo pensando en que él pueda mirar o platicar con otras chicas, que puedan llamarle más la atención que tú. Si tú te sientes así al estar con el chico que te gusta o que es tu novio, algo está pasando. Seguramente él ha dado pie para que te sientas insegura en la relación. Dentro del noviazgo ambos deben verse como el único y la única; si no es así, ten cuidado porque la infidelidad empieza al mirar, platicar o coquetear con otras chicas o chicos. Tú mereces sentirte la mujer más especial del mundo cuando estés con tu novio, él tiene que hacerte sentir así y tú a él.

Situación 25: Es de los que creen que la "hormona mata neurona" o que "la carne es la carne", y que no puede estar sin tener sexo. Cuidado con los chavos que piensan así, porque creerán que tú también eres de ese modo. Un hombre que dentro del noviazgo te hace sentir que "la carne es la carne" y que no puede estar sin sexo, es un hombre inmaduro, que no sabe controlarse y muy egoísta; por lo que deberías valorar esta relación, ya que seguramente se comportará de esta misma forma en muchos otros aspectos. El verdadero amor sabe esperar hasta el matrimonio, sabe respetar y se sabe controlar.

Situación 27: Te habla con groserías o con falta de respeto. En una relación de noviazgo (y en un futuro matrimonio) entre el hombre y la mujer debe existir amistad, deben ser los mejores amigos, pero eso no implica que él te trate como a sus amigos. El respeto es prioritario, por lo que si él te habla de "wey", "vieja", "morra" o cualquier otro despectivo que te haga sentir poco querida, te recomiendo que se lo hagas ver para que cambie este tipo de modos. En caso de que no lo haga, valores terminar con la relación, pues sólo te demuestra el poco cariño y cuidado que te tiene.

Situación 28: Prefiere no presentarte todavía con su familia o amigos porque se siente inseguro. Esta es una excusa muy común cuando no hay interés real en la relación. Para el hombre es muy fácil salir con alguien, pero frente a su familia y amigos no formalizar. Si él se siente inseguro para presentarte, entonces se siente inseguro de la relación, del cariño y compromiso que quiere adquirir contigo. Hazle ver que si quiere algo contigo, deberá ser en serio y frente a sus amigos y familiares; si no, es mejor dejarlo.

Situación 29: Te dice que necesita tener relaciones sexuales contigo para ver si son compatibles sexualmente. El tema de la compatibilidad sexual es un mito más en torno al sexo. Las relaciones sexuales son la expresión más grande y profunda de amor cuando hay compromiso y uno se casa; por lo que si existe amor, no puede haber incompatibilidad sexual. La incompatibilidad sexual se da cuando las relaciones son egoístas, sin amor, cuando uno sólo está pensado en pasarla bien y en su placer, pero cuando hay amor siempre habrá compatibilidad sexual. Tal vez deberías preguntarte si él te quiere como dice, si piensa en ti, o si es egoísta y ve primero por él.

Situación 31: Dice que te ama y que por eso pueden tener relaciones sexuales, aunque no estén casados. Este es un argumento que muchos jóvenes usan para convencer a sus novias de que ya es momento de tener relaciones sexuales; pero la realidad es otra y esto deja ver que tu novio sólo piensa en él, en su gusto, en pasarla bien, en que es egoísta y no quiere lo mejor para ti y la relación. Debes tener cuidado con esto: tener relaciones con tu novio no implicará que se va a comprometer, ni a casar contigo; por el contrario, podrías estar perdiendo oportunidades y momentos para conocerse mejor de una forma objetiva.

Recuerda que dentro de una relación, debes estar tranquila y segura. Eres una mujer muy especial, valiosa, eres única. Sentir presión para hacer algo que no quieres o para tener relaciones sexuales demuestra que algo no está bien. El sexo es bueno, es nuestro tesoro y es para expresar el amor; pero como ya lo vimos, el amor tiene ciertas características. El otro debe pensar primero en ti y en tu bienestar. El amor te permite crecer como persona, el amor es fiel, el amor es exclusivo y el amor invita al compromiso. Si el chico que dice quererte realmente lo hace, deberá respetarte y aprender a esperar.

NOTAS

1. Rivera Sánchez, Paola, *Sexualidad de los niños, niñas y jóvenes con discapacidad*, Educación, Costa Rica, 2008, pp. 157-170.

2. Polaina-Lorente, A., *Madurez personal y amor conyugal: factores psicológicos y psicopatológicos*, Rialp, Madrid, 2000, pp. 7-14.

• Quintanilla, B., *La personalidad madura. Temperamento y carácter*, Publicaciones Cruz O, México, D. F., 2003, pp. 105-111.

3. De Irala, J., *El valor de la espera*, Editorial Palabra, Madrid, 2011.

4. Sgreccia, E., Spagnolo, A., Di Pietro, M. L., *Bioetica, manuale per i diplomi universitari della sanità*, Vita e Pensiero, Milán, 2002, p. 326.

5. Gevaert, J., *El problema del hombre. Introducción a la Antropología Filosófica. Igualdad fundamental entre varón y mujer*, Salamanca Ediciones, Sígueme, 2003, pp. 97-108.

LA SEXUALIDAD EN LA ACTUALIDAD

Capítulo 2

En los últimos 70 años, se ha vivido una gran confusión sobre la sexualidad, tema hoy día tan polémico. Por un lado, nos presentan el sexo como un tema *tabú*, algo prohibido, incluso malo o negativo (lo cual es totalmente falso); en el otro extremo, se ha banalizado, promovido como algo superficial, poco valorado, que puede vivirse con cualquiera, algo desechable que se puede usar y después tirar a la basura.

Nos han querido hacer creer que podemos tener relaciones sexuales con quien sea, en cualquier momento, sin ninguna consecuencia (lo cual es completamente falso); esto nos ha llevado a vivir el llamado *junk sex* o "sexo basura" (pornografía, masturbación, prostitución, *sexting*, infidelidad, relaciones sexuales fuera del matrimonio y con cualquiera).

Seguramente habrás oído hablar de la *junk food* o comida chatarra; es el tipo de comida de mala calidad que no te nutre y sólo daña tu salud. Existe también el *junk sex* o sexo basura. Imagina que hoy al regresar de la escuela o de tu trabajo no hubiera comida en tu refrigerador y que la única opción que te queda es buscar algunas sobras de la comida que dejaron otros en el bote de basura con mal olor y contaminada. Pues así es el sexo cuando se vive fuera de un contexto de amor, compromiso y exclusividad; es tan sólo basura que daña tu cuerpo, tu mente y tu espíritu. Cuidado con quien quiera hacerte creer que el *junk sex* no te hará daño. Piensa que quien lo promueve es porque o no conoce nada mejor o es parte de una industria que se hace millonaria al vender pornografía, condones, píldoras de emergencia y otros anticonceptivos. El que en su vida sólo ha comido sobras que encuentra en un cesto de basura, no conoce lo que es una rica comida caliente hecha en casa con amor.

En la actualidad, el sexo se ha convertido en objeto de consumo, que no tiene como fin la verdadera unión, la entrega de la vida misma entre un hombre y una mujer que se aman, sino como algo que se puede usar y dejar, desecharse y reciclarse como si fuera un simple objeto.

¿Tú crees que la gente que realmente te quiere, querría para ti el *junk sex*? Piensa en tu papá, en tu mamá, en tus hermanos, abuelos y maestros. Ellos te quieren, ellos desean lo mejor para ti, ¿crees que alguno de ellos querría que te usaran, que el chico que te gusta sólo quisiera sexo por un tiempo y luego terminara la relación? ¡No! ¿Verdad que los que te quieren rechazarían el *junk sex* para ti? Entonces, ¿quién quiere que tú vivas el *junk sex*?

Lamentablemente existen muchos intereses alrededor del sexo basura. Imagina el dinero que ganan anualmente todos los negocios y empresas que producen y venden píldoras de emergencia, condones y anticonceptivos; los medios de comunicación que les hacen publicidad, todo el medio pornográfico en revistas, antros, prostíbulos e internet; así como los médicos y las clínicas que practican abortos. Ellos quieren volvernos consumidores del *junk sex*, quieren que creas que el sexo es algo banal, ordinario, que puede hacerse con cualquiera y que no hay consecuencias. Esto ha sido un error y cada vez son mayores las repercusiones en la salud física, emocional y psicológica en las personas, sobre todo en las mujeres adolescentes y jóvenes, aunque poco se hable de esto, ya que la gran industria del *junk sex* no quiere que se sepa.

Para ponerte un ejemplo, mencionaré una de las campañas del Consejo Nacional de Población, una instancia del gobierno que se dedica al tema de la población en nuestro país, la cual ha elaborado varios videos sobre sexualidad, en los que deja ver a los jóvenes como "un pedazo de carne", cuya "hormona mata la neurona" y, por lo tanto, hace ver que la gente joven no es capaz de controlarse. Alguna vez te has preguntado si te sientes como un pedazo de carne, o si eres como un animalito que no puede controlarse, ¿qué te parece que el gobierno de tu país piense que te comportas como un animal, que no puede controlar sus impulsos?, ¿que no tienes inteligencia ni voluntad suficiente?, ¿crees que eso es lo que merecen los millones de jóvenes en este país?

Pero, ¿de dónde viene toda esta visión del *junk sex*? Es cierto que, durante muchas generaciones, la mujer ha sufrido las consecuencias del machismo (éste se define como una actitud de prepotencia del hombre hacia la mujer. Es un conjunto de prácticas, comportamientos, dichos y violencia que resulta ofensivo contra el sexo femenino). Como consecuencia de este machismo que denigra a la mujer, surgió el polo opuesto llamado feminismo radical.

La corriente feminista radical "afirma" que lucha por la igualdad de las mujeres y los hombres, pero olvida que únicamente somos iguales en inteligencia, libertad y dignidad, ya que física, emocional y espiritualmente somos profundamente distintos, lo que nos hace complementarios. Lo que ha buscado esta corriente es "masculinizar" a la mujer para que se comporte como hombre. Esta radicalización de la mujer no ha logrado que ella sea más respetada, querida, o amada; por el contrario, ha tenido consecuencias lamentables, en especial las dos que a continuación menciono:

1. Negar la identidad, distinción biológica-psíquica-espiritual del "ser mujer" y del "ser hombre". Este feminismo desprecia la diferencia que existe entre el hombre y la mujer, y quiere asemejarlos, es decir, que los dos puedan llevar a cabo las mismas actividades y los mismos roles; busca volver "macha" a la mujer y "feminizar" al hombre. Esto es ilógico, **pues tanto física, emocional y espiritualmente somos diferentes. La mujer debe ser tratada con respeto y tener las mismas oportunidades que el hombre. Él debe dejar de lado el machismo, querer y cuidar a la mujer, pero cada uno dentro del rol que viene inscrito en cada una de sus células. El ser mujer u hombre no es una elección.** Gracias a estas enormes diferencias, somos complementarios; entonces podemos amarnos y como consecuencia de ese amor, vivir la sexualidad y tener hijos. Piensa qué pasaría si en realidad fuéramos iguales; el hecho de que te gusten los chavos, que te atraiga un chico de la escuela, es porque es distinto y complementa esas características que tú no tienes.

2. Han logrado que la mujer rechace la feminidad y la maternidad. Esta corriente feminista radical promueve el sexo sin compromiso y sin amor; el *junk sex*, el uso de la píldora anticonceptiva y del aborto. Lo anterior ha logrado denigrar a la mujer y a la familia. El cuerpo de la mujer está hecho para la maternidad, es parte de su vocación. Esto no implica que las mujeres no podamos estudiar, prepararnos, trabajar y destacar; pero en el momento que uno tiene una familia y se casa, no se puede olvidar que la prioridad es ésa, y que los hijos necesitan de la presencia, del cuidado y del cariño de su mamá. De igual forma, para el hombre casado, la prioridad debe ser su esposa, y sus hijos; debe ser corresponsable de la maternidad con la mujer y cuidar que no falte nada en la casa, ni amor, ni cuidados para su familia.

Esta propuesta feminista radical para supuestamente "erradicar" el machismo, así como la promoción de los llamados "derechos sexuales y reproductivos" que incluyen la anticoncepción, el inicio de la vida sexual a temprana edad y fuera del matrimonio, y, por supuesto, el aborto, dejan fuera la visión de la sexualidad como consecuencia del amor. Esto ha logrado radicalizar a la mujer, la ha dejado cada vez más sola al asumir el papel de la sexualidad y la maternidad, y el hombre se ha vuelto más irresponsable en torno al compromiso que se debe tener con ella.

En los siguientes capítulos analizaremos con más detalle cuáles son las consecuencias de la corriente feminista y del *junk sex* o "sexo basura".

INFECCIONES DE TRASMISIÓN SEXUAL. ¡CONÓCELAS!

Capítulo 3

Caso 1. Jessica es una chica de 21 años que estudia la universidad. Conoció a Juan, quien es tres años mayor que ella. Inició una relación de noviazgo con él. Él ya había tenido relaciones sexuales con otras dos chicas anteriormente; Jessica también las había tenido con un chico, antes de su noviazgo con Juan. Jessica explica que tanto ella como Juan usaban condón en sus relaciones sexuales anteriores. A los seis meses de empezar a tener relaciones sexuales con Juan, a Jessica le empezaron a salir una especie de verrugas en la zona genital que fueron aumentando de tamaño y que parecían como coliflor.

Jessica consultó a *Sexo Seguro*, donde un médico especialista le recomendó acudir con el médico, pues por los síntomas todo indicaba ser una infección sexual causada por el virus del papiloma humano. Jessica acudió al médico y, efectivamente, éste le confirmó que tenía una infección por el Virus del Papiloma Humano, le hizo una cauterización con ácido en la zona genital donde estaban las verrugas. Lamentablemente, al paso de los meses, estas verrugas volvieron a salir.

Jessica escribió a *Sexo Seguro* lo siguiente:

Hola, les escribo porque me siento triste y no sé qué hacer. El médico me ha dicho que me he vuelto más vulnerable a todo. Ya dentro de poco volveré a ir al médico porque, como les dije, me crecieron dos verrugas más y no se reducen. Cada vez que me voy a bañar siento con mis manos esas verrugas que ahora sé que se llaman condilomas y tengo miedo de ir al doctor, porque sé que las cauterizará y es muy doloroso. Bueno, ni modo, a enfrentar todo lo que viene y muchas gracias por los consejos.

A los dos meses Jessica volvió a escribir a *Sexo Seguro*:

Hola, les quiero contar que he ido al médico, me ha cauterizado nuevamente y hasta ahora no me han salido las verrugas. Mi relación empeoró mucho desde que me di cuenta de la infección y ya terminamos. Me siento triste al pensar que pude haber evitado todo esto. Yo decidí tener relaciones sexuales con mi ex, y me contagié. Ni modo, seguiré adelante, gracias por escucharme.

Poco se habla de las infecciones sexuales y esto es lógico, pues no es lo mismo platicarle a tu mejor amiga que tienes resequedad en una pierna, mostrarle un granito en el brazo o rascarte el ojo por comezón que padecer alguna afección en tus genitales. Nuestra intimidad es personal, reservada, no es para platicarla con cualquiera. Por eso, aunque estas infecciones son mucho más comunes de lo que piensas, en realidad no se habla mucho de ellas.

Los genitales, tanto del hombre como de la mujer, son órganos sumamente delicados que tienen contacto con el medio externo, por lo que hay que cuidarlos mucho más. Piensa por un momento que tu corazón o tu cerebro tuvieran contacto con el exterior, ¿los expondrías a contagiarse de alguna infección?, ¿podría ser mortal, no?

Las infecciones sexuales (también conocidas como ITS) son una especie de infecciones que se contagian de persona a persona, al tener relaciones o contactos sexuales; también pueden trasmitirse por uso de jeringas o sangre contaminada y algunas incluso pueden trasmitirse durante el embarazo, es decir, de la madre a su hijo.

Si tú no has tenido relaciones sexuales, puedes estar tranquila ya que no hay posibilidad de contagio sexual. Si una espera para tener relaciones sexuales hasta casarse y tu esposo no tiene ninguna de estas infecciones y siempre te es fiel, no hay posibilidad de contagio sexual de éstas. Pero si tú has tenido relaciones sexuales con un chico que ya tuvo relaciones sexuales con alguien más, es importante que estés pendiente de tu salud y, claro, que puedas optar por no ponerte más en riesgo.

Debes saber que existen más de 30 infecciones sexuales.[1] Las más conocidas son VIH/SIDA, virus del papiloma humano, virus del herpes, sífilis, gonorrea, tricomonas y clamidia.

Estas infecciones pueden tener graves consecuencias en la salud de las mujeres como:

* Inflamación y dolor en el útero y en las trompas uterinas.[2]
* Un futuro embarazo que podría darse fuera del útero (embarazo ectópico).
* Úlceras en los genitales.
* Cáncer cervical en la mujer.[3]
* Cáncer en la zona genital.[4]
* Abortos espontáneos, entre otros.[5]

Los genitales de la mujer son muy delicados. Por ejemplo, las trompas de Falopio o trompas uterinas son los conductos que conectan los ovarios con el útero, y es donde se lleva la fecundación. Pero, ¿sabías qué grosor tienen estas trompas? El espacio que existe dentro de ellas es del grueso de un pelo de tu cabeza; por lo que si una mujer tiene relaciones sexuales y se contagia de una infección sexual, estas trompas pueden verse afectadas, y ella puede volverse estéril. O piensa en el útero; este es el órgano que alberga la vida; se renueva todos los meses con la menstruación, y espera que en algún momento una nueva vida crezca dentro de él. El útero es como una pequeñísima cuna con todo lo necesario para cuidar al bebé cuando se da un embarazo. Imagina cómo sería afectado por una infección sexual (para más dudas sobre el cuerpo de la mujer, véase el anexo).

Por darte algunos datos y puedas entender mejor la gravedad de estas infecciones, la Organización Mundial de la Salud (OMS), instancia muy importante de salud a nivel mundial, ha calculado que cada año se presentan más de 333 millones de infecciones sexuales en todo el mundo,[6] más de 1 millón de infecciones diarias[7] y que todos los años uno de cada 20 adolescentes alrededor del mundo se contagiará de una infección sexual curable.[8] Asimismo, la OMS estima que cada año se contagian 500 millones de personas de alguna de estas 4 infecciones sexuales: clamidia, gonorrea, sífilis y *trichomonas*. También que existen 530 millones de personas con herpes genital en todo el mundo, y 290 millones de mujeres con la infección del papiloma humano.[9]

Las personas más afectadas por las infecciones sexuales son los jóvenes de entre 15 y 24 años; 50% de todas las personas en el mundo que tiene una infección sexual pertenecen a este grupo de edad.[10] Se estima que cada año 50% de las infecciones sexuales se dan también en este rango de edad.[11]

Es importante que sepas que el iniciar tu vida sexual, el tener relaciones sexuales sí puede tener consecuencias negativas para tu salud. Por ejemplo, las adolescentes que inician las relaciones sexuales antes de los 15 años tienen 25% más posibilidades de infectarse por clamidia un año después de iniciar la actividad sexual; 50%, a los dos años;[12] asimismo, esta es la infección sexual más común en menores de 24 años.[13] También, debes saber que una de cada 4 mujeres adolescentes que tienen relaciones sexuales está contagiada de una infección sexual como clamidia o virus del papiloma humano.[14]

Abre los ojos ante esta realidad, pues las mujeres adolescentes y las jóvenes como tú son las más propensas a contagiarse[15] por varias razones. Una, es la inmadurez de tu aparato reproductor[16] (pues aunque ya se haya presentado tu menstruación, tu cuerpo tardará muchos más años en estar listo para la sexualidad); otras razones de contagio son ciertas características psicológicas, de conducta[17] y sociales[18] que las hacen más propensas a padecer este tipo de infecciones.

TIPOS DE INFECCIONES SEXUALES

Sobre el **papiloma humano** existen más de 100 tipos;[19] 60 están relacionados con infección en el área genital, y de éstos, 20 tipos son de alto riesgo y pueden causar cáncer.[20] Los tipos 6 y 11[21] son los más comunes y se presentan en forma de verrugas genitales. Los tipos 16 y 18 son los más peligrosos, pues están directamente relacionados con el cáncer cérvico uterino en la mujer.

Más de 50% de las personas infectadas por el virus del papiloma humano no tiene síntomas, es decir, que no saben que están infectadas; pero sí pueden contagiar a otras personas si tienen relaciones sexuales. Este virus no tiene cura, se presenta como lesiones tipo verruga en los genitales y en la zona del ano, y es la causa más importante para desarrollar cáncer cérvico uterino en las mujeres. Casi 100% de las mujeres que tienen este cáncer padecen la infección por papiloma; esto no significa que todas las mujeres que tienen el papiloma humano vayan a tener cáncer, pero sí que todas las personas que tienen cáncer cérvico uterino han tenido papiloma humano. Asimismo, es la causa más importante de cáncer en toda la zona genital; por ejemplo, 80% de las personas con cáncer de ano presentan infección por este virus.[22]

El **herpes simple** es otra infección sexual incurable muy común. Ésta afecta la piel o las mucosas de los genitales en hombres y mujeres.[23] Uno puede infectarse con herpes al tener relaciones o contacto sexual con alguien que ya tiene herpes, y se es más propenso a la infección si se toca la piel de alguien que tenga úlceras, ampollas o una erupción. Sin embargo, el herpes puede contagiarse incluso cuando no hay ninguna úlcera u otros síntomas presentes.

Los síntomas son pequeñas y dolorosas ampollas, llenas de un líquido claro o color beige en la zona genital, en las nalgas o muslos de hombres y mujeres. Antes de que las ampollas aparezcan, la persona puede sentir hormigueo, ardor, picazón en la piel o tener dolor en el sitio donde las ampollas van a aparecer. Cuando las ampollas se rompen, dejan úlceras superficiales que son muy dolorosas, las cuales forman costra y sanan lentamente durante siete a 14 días, o más. También puede presentarse dolor al orinar, y en las mujeres la presencia de flujo vaginal anormal. También puede presentarse fiebre, malestar general, dolores musculares en la región lumbar, los glúteos, los muslos o las rodillas, y los ganglios linfáticos inflamados y sensibles en la ingle.

Un segundo brote puede aparecer semanas o meses después del primero. Casi siempre es menos intenso. El virus del herpes puede esconderse dentro de las células nerviosas del cuerpo; puede permanecer "dormido" (latente) durante mucho tiempo, y "despertar" (reactivarse) en cualquier momento, así como volver a presentar los síntomas.[24] Los pacientes con herpes genital tienen más posibilidades de presentar la infección por VIH.[25]

La **clamidia** es la ITS más común en todo el mundo.[26] Es causada por una bacteria, y es más común en mujeres. Esta infección se presenta con inflamación de la uretra, que es el conducto por el cual sale la orina del cuerpo, inflamación de los testículos o de la vejiga, inflamación aguda de las trompas uterinas, dolor al orinar y sangrado en las relaciones sexuales.[27] La OMS estima que cada año se infectan 100 millones de personas de clamidia.[28] Aunque casi 80 % de los infectados no presenta síntomas,[29] con el paso del tiempo puede presentarse enfermedad pélvica inflamatoria, que es una de las mayores causas de infertilidad en las mujeres. La clamidia puede ser trasmitida a los recién nacidos durante el parto, si su madre está infectada.

La **gonorrea** es la segunda ITS más importante;[30] causa más de 100 millones de infecciones nuevas cada año.[31] Cuando se presentan síntomas, éstos aparecen de dos a cinco días después de la infección. En los hombres son los siguientes: dolor, ardor al orinar, secreción del pene (de color blanco, amarillo o verde), uretra roja o inflamada, testículos sensibles o inflamados. Los síntomas en las mujeres pueden ser flujo vaginal, dolor y ardor al orinar, aumento en el número de veces que se va al baño a orinar, dolor intenso en la parte baja del abdomen y fiebre. Muchas mujeres no tienen síntomas hasta que llegan las complicaciones como infertilidad y embarazos fuera del útero de la madre.[32] Las mujeres que tienen gonorrea más fácilmente se contagian de VIH.[33]

El **VIH/SIDA** es una infección sexual incurable causada por el virus de inmunodeficiencia humana. Hace 30 años se presentaron los primeros pacientes infectados en el mundo por este virus, y hoy hay más de 35 millones de personas que padecen dicha infección.[34] Han muerto 1.7 millones de personas por enfermedades relacionadas con el SIDA,[35] y en nuestro país se calcula que 221 829 personas padecen VIH/SIDA, de los cuales 80 % son hombres.[36]

A veces no queda muy clara cuál es la diferencia entre VIH y SIDA. El virus del VIH ataca el sistema inmunitario, es decir, las defensas que tu cuerpo produce para atacar las infecciones. Por eso los pacientes que se contagian de VIH (y no usan el tratamiento adecuado) se debilitan rápidamente y mueren de otras infecciones que en muchas personas son comunes, pero para ellos se vuelven mortales.

Una vez que la persona se infecta con el virus, éste permanece dentro de su cuerpo toda la vida, es decir, que esta infección es incurable, pero con un buen tratamiento el cuerpo puede mantenerse sano por varios años. El virus se trasmite de tres formas: la primera y más común es por contacto sexual (por semen y secreciones vaginales), la segunda a través de sangre y la tercera de madre a hijo durante el parto o por dar leche materna.[37] El virus no se trasmite por darle un abrazo a una persona con VIH, piquetes de mosquitos o tocar cosas que hayan sido tocadas por alguien contagiado.

Cuando una persona se infecta de VIH puede presentar síntomas como diarrea, fiebre, dolor de cabeza, úlceras en la boca, infección por hongos como cándida, dolor en los músculos, sudores fríos, erupciones de diferentes tipos y dolor de garganta, entre otros; sin embargo, muchas personas no presentan síntomas cuando se les diagnostica el VIH. Después de presentar el contagio, pueden pasar meses, incluso varios años para convertirse en SIDA (si no se usa el tratamiento adecuado).

Las personas contagiadas por alguna infección sexual son más propensas a contagiarse del VIH,[38] incluso llegan a tener de cinco a 10 veces más posibilidades de infectarse de VIH. Esto se debe a que las infecciones sexuales causan una ruptura de la piel y de las barreras de los genitales, lo que permite que el VIH entre más rápido al cuerpo.[39]

Estas son sólo algunas de las más de 30 infecciones sexuales que existen. Debes tener cuidado, pues éstas afectan a tu salud física, pero también a la emocional. Las chicas contagiadas de infecciones sexuales se sienten sucias, tristes y usadas.

No olvides que de ti depende evitar el contagio, tú puedes cerrar las puertas a las infecciones sexuales al decidir no tener contacto sexual ni relaciones sexuales con nadie en esta etapa de tu vida. Recuerda que es tu derecho decir NO al "sexo basura". **¡QUIÉRETE, CUÍDATE!**

NOTAS

1. Gayón, V. E. *et al.*, *Efectividad del preservativo para prevenir el contagio de infecciones de transmisión sexual*, vol. 76, núm. 2, Ginecol Obstet., México, 2008, pp. 88-96.
2. Satterwhite, C. L. *et al.*, *Chlamydia Screening and Positivity in Juvenile Detention Centers*, Estados Unidos, Women Health, 2009-2011.

3. Antic, L. G. *et al., Differencies in risk factors for cervical dysplasia with the applied diagnostic method in Serbia,* vol. 15, núm. 16, Asian Pac J Cancer Prev., 2014, pp. 6697-6701.

4. Freire, M. P. *et al., Genital prevalence of HPV types and co-infection in men,* vol. 40, núm. 1, Int Braz J Urol., Jan-Feb, 2014, pp. 67-71.

5. CDC, *Incidence, Prevalence, and Cost of Sexually Transmitted Infections in the United States,* 2013.

6. Baeten, J. M. *et al., Hormonal contraception and risk of sexually transmitted disease acquisition: Results from a prospective study,* núm. 185, Am J Obstet Gynecol., 2001, pp. 380-385.

7. Disponible en: <http://www.who.int/mediacentre/factsheets/fs110/en/#>.

8. Gutierrez, J. P. *et al., Risk behaviors of 15-21 year olds in Mexico lead to a high prevalence of sexually transmitted infections: results of a survey in disadvantaged urban areas,* vol. 27, núm. 6, BMC Public Health, 2006, p. 49.

9. Disponible en: <http://www.who.int/mediacentre/factsheets/fs110/en/#>.

10. Dehne, K. L., G., Riedner, *Sexually transmitted infections among adolescents: the need for adequate health services,* Geneve: World Health Organization, 2005.

11. Satterwhite, C. L. *et al., Sexually transmitted infections among US women and men: prevalence and incidence estimates,* vol. 40, núm. 3, Sex Transm Dis., pp. 187-193, 2008.

12. Tu, W., B. E., Batteiger *et al., Time from first intercourse to first sexually transmitted infection diagnosis among adolescent women,* vol. 163, núm. 12, Arch Pediatr Adolesc Med., 2009, pp. 1106-1111.

13. Weinstock, H. S., Berman *et al., Sexually transmitted disease among american youth: incidence and prevalence estimates,* 2000, vol. 36, núm. 1, *Persp Sexual and Reprod Health.,* 2004, pp. 6-10.
    • Revzina, N. V., R. J. Diclemente, *Prevalence and incidence of human papillomavirus infection in women in the USA: a systematic review,* núm. 15, Int J STD AIDS, 2005, pp. 528-537.

14. Forhan, S. E. *et al., Prevalence of sexually transmitted infections among female adolescents aged 14 to 19 in the United States,* vol. 124, núm. 6, Pediatrics, 2009, pp. 1505-1512.

15. Centers for Disease Control and Prevention, Division of HIV/AIDS Prevention, Fact Sheet, *Young People at Risk: HIV/AIDS Among American's Youth,* Department of Health and Human Services, Atlanta, 2003. Disponible en: <http://www.cdc.gov/hiv/pubs/facts/youth.htm>.

16. Paul, C. *et al.*, *Longitudinal study of self-reported sexually transmitted infection indicence by gender and age up to age thirty-two years*, núm. 36, Sex Transm Dis., 2009, pp. 63-69.
17. Tarr, M. E., M. L. William, *Sexually transmitted infections in adolescent women*, vol. 51, núm. 2, Clin Obstet Gynecol., 2008, pp. 306-318.
18. Feroli, K. L., G. R., Burstein, *Adolescent sexually transmitted diseases: new recommendations for diagnosis, treatment and prevention*, vol. 28, MCN Am J Mater Child Nurs, 2003, pp. 113-118.
19. Donovan, B., *Sexually transmissible infections other than HIV*, núm. 363, Lancet, 2004, pp. 545-556.
20. De Villiers, E. M. *et al.*, *Classification of papillomaviruses*, núm. 324, Virology, 2004, pp. 17-27.
21. CDC, Sexually Transmitted Disease Survillance, Atlanta, GA: USA, 2004. Department of Health and Human Services, CDC, National Center for HIV, STD and TB Prevention, 2005.
22. Ravenda, P. S. *et al.*, *Prognostic value of human papillomavirus in anal squamous cell carcinoma*, Cancer Chemother Pharmacol, Sep, 11, 2014.
23. Habif, T. P., Capítulo 11. "Sexually transmitted viral infections", en *Clinical Dermatology*, 5th ed., St. Louis, Mo: Mosby Elsevier, 2009.
    • Schiffer, J. T., L., Corey, Capítulo 136. "Herpes simplex virus", en *Principles and Practice of Infectious Diseases*, 7th ed., Philadelphia, Pa: Elsevier Churchill Livingstone, 2009.
    • Eckert, L. O., G. M., Lentz, Capítulo 23. "Infections of the Lower and Upper Genital Tract: Vulva, Vagina, Cervix, Toxic Shock Syndrome, Endometritis, and Salpingitis", en *Comprehensive Gynecology*, 6th ed., Philadelphia, Pa: Mosby Elsevier, 2012.
24. Schiffer, J. T., L., Corey, Capítulo 136. "Herpes simplex virus", en *Principles and Practice of Infectious Diseases*, 7th ed., Philadelphia, Pa: Elsevier Churchill Livingstone, 2009.
25. Mehta, B., *A clinico-epidemiological study of ulcerative sexually transmitted diseases with human immunodeficiency virus status*, vol. 35, núm. 1, Indian J Sex Transm., 2014, pp. 59-61.
26. Chiaradonna, C., *The Chlamydia cascade: enhanced STD prevention strategies for adolescentes*, núm. 21, J Pediatr Adolece Gynecol., 2008, pp. 233-241
    • Djoba-Siawaya, J. F., *Chlamydia trachomatis, Human Immunodeficiency Virus (HIV) Distribution and Sexual Behaviors across Gender and Age Group in an African Setting*, vol. 9, núm. 3, Plos one, 2014.
27. Chen, M. Y. *et al.*, *Chlamydia trachomatis infection in Sydney women*, núm. 45, Aust N Z J Obstet Gynaecol., 2005, pp. 410-413.

28. Dimech, W. *et al., Analysis of laboratory testing results collected in an enhanced chlamydia surveillance system in Australia*, núm. 14, 2008-2010, BMC Infect Dis., 2014, p. 325.
29. Ward, J. *et al., Chlamydia among Australian Aboriginal and/or Torres Strait Islander people attending sexual health services, general practices and Aboriginal community controlled health services*, núm. 14, BMC Health Serv Res., 2014, p. 285.
30. Weinstock, H. *et al.*, "Sexually transmitted disease among american youth: incidence and prevalence estimates", en *Perspectives on Sexual and Reproductive Health*, vol. 36, núm. 1, 2004, pp. 6-10.
31. Grad, Y. H. *et al., Genomic epidemiology of Neisseria gonorrhoeae with reduced susceptibility to cefixime in the USA: a retrospective observational study*, vol. 14, núm. 3, Lancet Infect Dis., 2014 Mar, pp. 220-226.
32. Jamil, M. S. *et al., Home-based chlamydia and gonorrhoea screening: a systematic review of strategies and outcomes*, núm. 13, BMC Public Health, 2013 Mar 4, p. 189.
33. Peterman, T. A. *et al., Risk for HIV following a diagnosis of syphilis, gonorrhoea or chlamydia: 328,456 women in Florida, 2000-2011*, Int J STD AIDS, 2014 Apr 8.
34. *Informe Mundial ONUSIDA*, 2013, ONUSIDA, Ginebra, 2013.
35. *UNAIDS World AIDS Day Report 2012*, UNAIDS, Geneva, 2012.
36. *Registro Nacional de Casos de SIDA al 30 de junio del 2014*, CENSIDA, Secretaría de Salud, México, 2014.
37. Disponible en: <http://www.nlm.nih.gov/medlineplus/spanish/ency/article/000594.htm>.
38. Blackard, J. T., K. H., Mayer, *HIV superinfection in the era of increased sexual risk-taking*, vol. 31, núm. 4, Sex Transm Infect., 2004, pp. 201-204.
    • Hamers, F. F., A., M., Downs, *The changing face of the HIV epidemic in western Europe: what are the implications for public health policies?*, vol. 364, núm 83, Lancet, 2004, pp. 83-94.
    • Taylor, M. *et al., HIV status and viral loads among men testing positive for rectal gonorrhoea and chlamydia, Maricopa County, Arizona, USA, 2011-2013*, HIV Med., 2014 Sep 17.
39. Da Ros, C. T., S. C., Da Silva, *Global epidemiology of sexually transmitted diseases*, vol. 10, núm. 1, Asian J Androl., 2008, pp. 110-114.

USO DEL CONDÓN

Capítulo 4

Imagina por un momento que conocieras al chico de tus sueños, que fuera un gran hombre, con valores, trabajador, atractivo, educado, que empezaran a salir, y que la primera vez que te diera la mano lo hiciera con un guante de látex (como el que usan los médicos). También, que al momento de ser novios y darse su primer beso, lo hiciera con un cubrebocas como el que usan los dentistas. ¿Qué pensarías de él? ¿Cómo te haría sentir esto? ¿No dudarías de su amor, no sería como un engaño, algo plástico, poco real? Pues así de plástico, ajeno, lejano y desconfiado es el condón.

El condón es una funda de plástico (látex) que se coloca en el pene del hombre (condón masculino) o dentro de la vagina de la mujer (condón femenino) para impedir que el semen llegue a la vagina y al útero de la mujer, "supuestamente" para evitar así una infección sexual o un embarazo. Y digo supuestamente porque recuerda que existen más de 30 infecciones sexuales y los estudios científicos han demostrado que la efectividad del condón va de entre cero hasta 80% dependiendo la infección sexual,[1] es decir, NUNCA es 100% seguro.[2]

Por ejemplo, las últimas investigaciones sobre el condón masculino y su efectividad para prevenir infecciones virales es de 59%.[3] En relación con el VIH, específicamente, su efectividad es de 78[4] y 80%[5] por acto, con uso consistente (es decir, usándolo el 100% de las relaciones sexuales y de la manera correcta en todas ellas). De no usarlo así, carece de esta efectividad.[6]

Se ha demostrado que la efectividad del condón es mínima para aquellas infecciones que se contagian por el contacto de la piel de los genitales, como el papiloma humano[7] y el herpes, sobre todo cuando la infección se encuentra fuera de la zona que cubre el condón.[8] El papiloma humano, así como el herpes y otras infecciones que se contagian por el roce de la piel, se pueden encontrar en toda la zona genital del hombre: en el pene, en los testículos y hasta en la zona del ano.[9] Aunque el condón te protegiera de alguna forma, igual te contagiarías si el chico tuviera la infección en los testículos o en la zona del ano.

En relación con el condón y con el papiloma humano, se han reportado estudios en los cuales de los hombres que siempre usan condón, de 32[10] hasta 37 %[11] queda infectado. **¿Tú crees que el condón protege en verdad?** Datos en México indican que el condón tiene muy poca efectividad para prevenir la infección por papiloma humano.[12]

No sé si alguna vez has estado en el hospital o te han operado de algo. Los médicos, cuando operan a sus pacientes, siempre se visten con un traje especial totalmente limpio, que cubre todo su cuerpo; asimismo, se ponen botas especiales, guantes de látex grueso que cubren sus manos, cubrebocas especial y lentes. Todo esto lo hacen por el cuidado y salud del paciente, pero también para no contagiarse de alguna probable enfermedad que el paciente pudiera tener; en especial cuando se opera a una persona con alguna enfermedad de trasmisión sexual que se encuentre en la sangre como el VIH o hepatitis B. En este caso, los cuidados son mucho mayores: se usa doble guante de látex y después de esto se destruyen todas las batas o ropa que haya tenido contacto con líquidos del paciente infectado.

En nuestro país, la Secretaría de Salud recomienda que si se tiene contacto con un paciente infectado del VIH siempre hay que lavarse las manos antes y después de tocar al paciente, usar guantes, bata o ropa impermeable y usar máscara o lentes siempre que exista posibilidad de salpicaduras. ¿Tú crees que es justo que la propia Secretaría de Salud le haga creer a los jóvenes que con una funda delgada de látex en el pene, y el cuerpo desnudo y desprotegido, será suficiente para protegerse del VIH/SIDA, cuando para su personal de salud se toman todas las medidas preventivas y se cubren completamente casi como si fueran astronautas? ¿No crees que a nuestro gobierno le hace falta hablar con la verdad?

El condón, al ser una funda de plástico delgada, en muchos casos puede romperse, deslizarse[13] o tener fugas,[14] sobre todo en los jóvenes; varios estudios demuestran que el deslizamiento y la ruptura del condón va desde 27 %[15] hasta 28.5 % en gente joven.[16]

Lamentablemente, las instituciones de salud de nuestro gobierno, así como cientos de organizaciones civiles promueven insistentemente el uso del condón y pareciera que ellos ven a los jóvenes como animalitos que no pueden controlarse, en vez de verlos como lo que son: personas. ¿Alguna vez has visto a una perrita en celo? ¿Has notado cómo se comporta el macho? Se comporta como un verdadero salvaje, ladra, aúlla, es incontrolable. Podría apostar que tu comportamiento y el de tus amigos es muy distinto, pues eres una persona con inteligencia y voluntad que puede dominar algún deseo, puede ponerse metas e incluso las puede cumplir con éxito.

¿Tú crees que si los jóvenes no pudieran dominarse habría medallistas olímpicos de 17 años? ¿Puedes imaginarte la férrea disciplina a la que debe someterse un atleta de alto rendimiento y a la gran cantidad de cosas a las que debe renunciar para lograr buenos resultados en las competencias? Todos podemos dominarnos y buscar lo mejor para cada etapa de nuestra vida. Por ejemplo, tú y yo al sonar el despertador cada mañana podemos someter el sueño para levantarnos a estudiar o trabajar, pues esta es la prioridad; también dominamos nuestras ganas de comernos todas las bolsas de papas o todos los chocolates que podemos comprar, pues sabemos que es importante cuidar nuestra salud; también podemos dominar las ganas que tenemos de ver televisión, estar en Facebook o en la computadora cuando hay que estudiar para un examen, pues la prioridad es la escuela; podemos controlar nuestras ganas de gritarle a alguien cuando estamos enojados con esa persona, y así, podemos seguir describiendo cientos de ejemplos de nuestra vida cotidiana que claramente nos reflejan que controlamos muchos de nuestros impulsos con voluntad, carácter e inteligencia, entonces: ¿Por qué en el sexo no podemos dominarnos y esperar por lo mejor?

El condón le ha hecho creer a los jóvenes, sobre todo a los hombres, que sus actos no tienen consecuencias, lo cual es totalmente falso. Todos nuestros actos buenos o malos siempre tienen consecuencias. *Es decir, el condón vuelve irresponsables a los hombres y vulnerables a las mujeres.* ¿Sabías que en México hay más de 4.5 millones de mujeres que son madres solteras y muchas de ellas son adolescentes? Y aunque ellas se esfuercen todos los días por salir adelante y darle lo mejor a sus hijos, la vida de una familia necesita al papá, los niños y las niñas lo necesitan.

¿Tú crees que uno puede tener actos sin consecuencias? Por ejemplo, si uno tiene un examen y no estudia, la consecuencia es que uno reprueba el examen; si uno come todo el día chocolates y toma refresco, sube de peso; si uno se pone a tomar sol por 10 horas seguidas, se quema la piel; si uno se desvela y se duerme a las 3:00 horas, al siguiente día se siente cansado. Todos nuestros actos tienen consecuencias y debemos hacernos responsables de nuestras decisiones, pues ahí está el valor de la libertad.

Un chico que quiere sexo con o sin condón no te quiere, sólo está pensando en él, en pasar un buen rato (corto o largo), en usarte y después de un tiempo la relación terminará, pues los adolescentes no están buscando una relación por amor. Para aprender a amar se necesitan años, se necesita alcanzar la madurez en la edad adulta; se necesita aprender de los demás, y claro, para vivir el amor exclusivo uno aprende a renunciar a todos los demás hombres por estar solamente con uno, pues de eso se trata al entregarse a uno solo y vivir el amor, se trata de elegir entre todos para quedarse sólo con uno para toda la vida.

El uso del condón en los chicos también disminuye su hombría, y te explico por qué. En la sexualidad, el cuerpo y las sensaciones del hombre y la mujer son distintos. El hombre puede llegar al orgasmo de manera más rápida que la mujer; para las mujeres tiene una implicación física, pero también emocional y toma más tiempo; es por eso que el hombre debe aprender a esperar, a esperar para que su mujer también sienta y se una con él gracias al orgasmo. En el matrimonio, el hombre debe pensar en su esposa antes que en él, debe dejar de lado sus ganas y sus gustos, y solamente pensar en cómo su mujer se sentirá amada. ¿Qué pasa con los chicos que sólo buscan sexo en la adolescencia, en el noviazgo o fuera de éste, que sólo piensan en ellos y creen que la solución para "evitar un embarazo o una infección" es usar el condón?, no aprenden a aguantarse, a esperarse, a ser generosos y a amar; por lo que pueden ser hombres que en el matrimonio tengan problemas para amar a su mujer, para esperar a que ella sienta, a que ella se sienta amada, feliz, plena y pueda disfrutar del amor de su esposo en las relaciones sexuales; es decir, se vuelven hombres "poco hombres".

El condón ha sido el gran destructor de la masculinidad en los hombres, pues les ha hecho creer que:

1. Son como animalitos que no pueden controlarse.
2. Sus actos no tienen consecuencias y pueden hacer lo que quieran, bueno o malo sin que pase nada.
3. Se puede usar a las mujeres como quieran y después dejarlas como objetos sin valor.

Usar condón no es amar, es rebajarte, es prestarte al juego del *uso y desecho*. ¡Cuidado! La sexualidad es un tesoro, es para amar y ser amado; para ser generoso, pensar en el otro, para entregarse totalmente y recibir al otro de igual forma. **Pero al usar condón, el hombre puede usarte y desecharte, como él mismo tira el condón a la basura después de la relación sexual.**

NOTAS

1. Workowski, K. A., S. M. Berman, *Sexually transmitted disease treatment guildelines*, vol. 55, núm. RR11, 2006, pp. 1-94.
   • Winer, R. L. *et al.*, *Condom use and the risk of genital human papillomavirus infection in young women*, vol. 354, núm. 25, N Eng J Med, 2006, pp. 2645-2654.
   • Crosby, R. A. *et al.*, *Value of consistent condom use: a study of sexually transmitted disease prevention among African American adolescent females*, vol. 93, núm. 6, Am J Pub Health, 2003, pp. 901-902.
2. Remis, R. S. *et al.*, *HIV Transmission among Men Who Have Sex with Men due to Condom Failure*, vol. 9, núm. 9, PLoS One, 2014, Sep 11.
3. Crosby, R. A. *et al.*, *Condom effectiveness against non-viral sexually transmitted infections: a prospective study using electronic daily diaries*, vol. 88, núm. 7, Sex Transm Infect, 2012 Nov, pp. 484-489.

4. Hughes, J. P. *et al.*, *Determinants of per-coital-act HIV-1 infectivity among African HIV-1-serodiscordant couples*, vol. 205, núm. 3, J Infect Dis, 2012 Feb 1, pp. 358-365.

5. Lasry, A. *et al.*, *HIV sexual transmission risk among serodiscordant couples: assessing the effects of combining prevention strategies*, vol. 28, núm. 10, AIDS, 2014 Jun, pp. 1521-1529.

6. Weller, S. C., K. Davis-Beaty, *Condom effectiveness in reducing heterosexual HIV transmission*, núm. CD003255, Cochrane Database of Systematic Reviews, 2002.

   • Crosby, R., S. Bounse, *Condom effectiveness: where are we now?*, núm. 9, Sexual Health, 2012, pp. 10-17.

   • Warner, L. *et al.*, *Condom use around the globe: how can we fulfill the prevention potential of male condoms?*, vol. 9, núm. 1, Sex Health, 2012, pp. 4-9.

   • Cayley, W., *Effectiveness of condoms in reducing heterosexual transmission of HIV*, vol. 70, núm. 7, Am Fam Physician, 2004, pp. 1268-1269.

7. Manhart, L. E., L. A. Koutsky, *Do condoms prevent genital HPV infection, external genital warts, or cervical neoplasia? A meta-analysis*, vol. 29, núm. 11, Sex Transm Dis, 2002 Nov, pp. 725-735.

8. Martin, E. T. *et al.*, *A Pooled Analysis of the Effect of Condoms in Preventing HSV-2 Acquisition*, vol. 169, núm. 13, Arch Intern Med, 2009, pp. 1233-1240

   • Workowski, K. A., S. M. Berman, *Sexually transmitted disease treatment guildelines*, vol. 5, núm. RR-6, Centers for Disease Control and Prevention, 2006, pp. 1-78.

   • Genuis, S. J., S. K. Genuis, *Managing the sexually transmitted disease pandemic: a time for re-evaluation*, núm. 191, Am J Obstet Gynecol, 2004, pp. 1103-1112.

   • Genuis, S. J., S. K. Genuis, *Primary prevention of sexually transmitted disease: applying the ABC strategy*, núm. 81, Postgrad Med J, 2005, pp. 301-399.

   • Workowski, K. A., W. C., Levine, *Selected topics from the Centers for Disease Control and prevention sexually transmitted disease treatment guildelines 2002*, vol. 3, núm. 4, HIV Clin Trials, 2002, pp. 421-433.

9. Giuliano, A. R. *et al.*, *The optimal anatomic sites for sampling heterosexual men for human papillomavirus (HPV) detection: the HPV detection in men study*, núm. 196, J Infect Dis, 2007, pp. 1146–1152.

10. Pierce Campbell, C. M. *et al.*, *Consistent condom use reduces the genital human papillomavirus burden among high-risk men: the HPV infection in men study*, vol. 208, núm. 3, J Infect Dis, 2013 Aug 1, pp. 373-384.

11. Nielson, C. M. *et al., Consistent condom use is associated with lower prevalence of human papillomavirus infection in men*, vol. 202, núm. 3, J Infect Dis, 2010 Aug 15, pp. 445-451.

12. Repp, K. K. *et al., Male human papillomavirus prevalence and association with condom use in Brazil*, vol. 205, núm. 8, J Infect Dis, México y USA, 2012 Apr 15, pp. 1287-1293.

13. Crosby, R. *et al., A prospective event-level analysis of condom use experiences following STI testing among patients in three US cities*, vol. 39, núm. 10, Sex Transm Dis, 2012 Oct, pp. 756-760.

14. Sanders, S. A. *et al., Condom use errors and problems: a global view*, vol. 9, núm. 1, Sex Health. 2012 Mar, pp. 81-95.

15. Crosby, R. A. *et al., Condoms are more effective when applied by males: a study of young black males in the United States*, pii: S1047-2797(14)00368-8, Ann Epidemiol, 2014 Aug 7.

16. Crosby, R. *et al., Slips, breaks and "falls": condom errors and problems reported by men attending an STD clinic*, vol. 19, núm. 2, Int J STD AIDS, 2008, pp. 90-93.

    • Yarber, W. L. *et al., Correlates of condom breakage and slippage among university undergraduates*, núm. 15, International Journal of STD and AIDS, 2004, pp. 467-472.

    • Coyle, K. K. *et al., Condom Use: Slippage, Breakage, and Steps for Proper Use Among Adolescents in Alternative School Settings*, vol. 82, núm. 8, J Sch Health, 2012, pp. 345-352.

    • Crosby, R. *et al., Design, measurement, and analytical considerations for testing hypotheses relative to condom effectiveness against non-viral STIs*, núm. 78, Sex Transm Inf, 2002, pp. 228-231.

EMBARAZOS INESPERADOS

Capítulo 5

Caso 2. Abigail es una chica de 17 años. Vive con su mamá y sus hermanas; sus papás están separados. Ella estudia el segundo año de preparatoria. Nunca ha tenido novio. Conoció en la escuela a Tomás, que tiene 18 años. Empezaron a salir y, al poco tiempo de ser novios, él la convenció de tener relaciones sexuales. Ella no estaba muy segura de querer, pero al sentirse "enamorada" estuvo de acuerdo. Tomás le propuso usar condón para evitar un embarazo, no obstante ella quedó embarazada a los cuatro meses de haber iniciado las relaciones sexuales.

Abigail escribió a *Sexo Seguro*:

> Me siento desesperada, tengo dos meses sin mi periodo, y me hice hace tres días dos pruebas de embarazo y salieron positivas. Mi novio me dice que estoy embarazada, y que él me apoya en lo que yo decida, pero creo que no quiere el bebé. ¿Qué puedo hacer? No quiero ser mamá todavía.

Un médico especialista de *Sexo Seguro* la orientó, le recomendó acudir con un médico para que la valorara. La invitó a escuchar a su corazón, a platicarlo con su novio y contarle a su mamá y sus hermanas.

Abigail volvió a escribir a los 15 días lo siguiente:

Hola, quiero decirles que me siento muy triste. No quiero comer. Lloro todo el día. Mi mamá ya sabe que estoy embarazada. Ella está enojada, pero me dice que me va a apoyar para que lo tenga. Mi novio dice que él no quiere ser papá todavía; ya no quiero estar con él, pues me siento rechazada.

Durante los siguientes tres meses, Abigail realizó varias consultas a *Sexo Seguro*; al sexto mes de su embarazo escribió:

Hola, desde hace unas semanas he sentido algo y se los quería compartir. Mi bebé ya se mueve; lo siento dentro de mí; es algo que nunca había experimentado. Ya no me siento triste; me da ilusión conocer a mi bebé. Mi mamá ya no está enojada, y estamos preparando las cosas para su llegada. He seguido estudiando y, aunque es más difícil, sé que tengo que salir adelante. Sobre el papá de mi bebé, ya no somos novios, y he decidido que no tenga que ver con nosotros. Voy a sacar a mi bebé adelante. Gracias por sus consejos.

¿Embarazo no deseado? ¿Has oído este término? Seguramente sí. Se refiere, en la actualidad, a la llegada de un niño cuando sus padres no lo desean. ¿Tú crees que esto es posible? ¿Piensas que existen personas en el mundo que sean no deseadas por nadie, que sería mejor que desaparecieran o estuvieran muertos? ¿No te parece que esta es una visión profundamente egoísta, discriminatoria y poco humana?

Te propongo que para hablar de embarazos que llegan de forma sorpresiva mejor nos refiramos a "embarazo inesperado", pues aunque en un principio los padres o la madre no sepan cómo reaccionar ante esta noticia, esto puede cambiar, ya sea dentro de su propia familia biológica o al recibirlos una nueva familia adoptiva.

Efectivamente, tener relaciones sexuales en la adolescencia y la juventud, fuera de una relación de amor, fidelidad y compromiso para toda la vida (matrimonio), puede tener como consecuencia vivir la maternidad y paternidad antes de tiempo. Un embarazo en la adolescencia puede afectar la salud de la madre y de su hijo. Asimismo, tanto el hombre como la mujer se exponen a encontrar menores oportunidades de educación y a limitar sus posibilidades de conseguir en el futuro un buen empleo.

Ahora bien, también existen consecuencias físicas en los niños que nacen de mamás adolescentes; por ejemplo, ellos tienen más riesgo de:

- Tener bajo peso al nacer.[1]
- Nacer antes de tiempo, es decir, ser prematuros.[2]
- Tener talla pequeña para la edad gestacional, es decir, nacer pequeños.[3]
- Nacer con malformaciones.[4]
- Presentar mayor posibilidad de mortalidad neonatal[5] e infantil, es decir, muerte al nacer o en la infancia.[6]
- Tener accidentes en la infancia, problemas de aprendizaje, de salud mental, y sufrir maltrato.[7]

Los niños que nacen de padres adolescentes tienen hasta 60% más posibilidades de morir.[8] Cuanto más joven sea la madre (menor de 18 años), mayor será el riesgo para el bebé de morir durante el primer año de vida.[9]

Piensa por un momento: ¿Qué sería de tu vida con un bebé en este momento? ¿Qué será de la vida de ese bebé? Los niños tienen el derecho de nacer en las mejores condiciones. Eso siempre significa nacer en una familia que se quiera, donde su papá y su mamá estén casados, y le den ejemplo de amor. ¿No desearías eso para tus futuros hijos?

Los datos científicos indican que las mujeres jóvenes que inician las relaciones sexuales durante la adolescencia tienen más probabilidad de ser madres adolescentes;[10] este dato lo podemos corroborar con lo que actualmente sucede en México. La Encuesta Nacional de Salud y Nutrición 2012 realizada por el gobierno indica que de las chicas adolescentes (12 a 19 años) que tienen relaciones sexuales (21.5% de todo el país), 51.9% (más de la mitad) han estado embarazadas.[11] Es decir, que tener relaciones sexuales durante la adolescencia es como echar una moneda a la suerte para embarazarte. Tienes más de 50% de posibilidades de que esto suceda. ¿Es eso lo que quieres para ti y tus futuros hijos?, ¿eso es lo que merece una chica como tú, vivir la maternidad en la adolescencia, con poco apoyo del papá del bebé y sintiéndote sola?

Aunque la llegada de un hijo es siempre un gran regalo de la vida, ser madre adolescente no es fácil, pues la mayoría de las chicas terminan como madres solteras. Esto las afecta a ellas y también a sus hijos; aumenta la posibilidad de tener carencias nutricionales, enfermedades, bajo nivel educativo y un medio familiar poco apto para recibir al bebé y protegerlo.[12] Además, en caso de casarse, se presentan más matrimonios no deseados e inestables,[13] asimismo, la maternidad y paternidad a edad temprana se asocia con:

- Dependencia económica y pobreza.
- Presencia de depresión.[14]
- Abuso infantil.
- Limitación para seguir estudiando[15] y deserción escolar.[16]
- Trabajos informales.[17]
- Actividad criminal.[18]

En México, datos del INEGI del 2011[19] indican que el número de mujeres de entre 12 y 19 años, con al menos un hijo, ha aumentado de 7.5% en 2000 a 8% en 2010. En la actualidad, los hijos de madres adolescentes son más de 300 mil cada año. Chihuahua, Nayarit, Baja California Sur y Coahuila son los estados donde se presentan más casos de embarazos en la adolescencia.[20]

Las estadísticas oficiales señalan que las niñas que nacen de madres adolescentes tienen más probabilidad de convertirse también en madres adolescentes.[21] En el caso de los niños varones que nacen de madres adolescentes, tienen una tasa superior al promedio de ser arrestados y encarcelados.

¿DESDE QUÉ MOMENTO SE CONSIDERA QUE LA MUJER ESTÁ EMBARAZADA?

La vida de una persona empieza desde el momento de la fecundación, es decir, la vida se inicia desde el preciso instante en que se fusionan el espermatozoide del hombre y el óvulo de la mujer, dentro del cuerpo de ella. A partir de ese momento, la mujer ha quedado embarazada. Ya existe una persona única a irrepetible, con todo su material genético, con identidad propia y, sobre

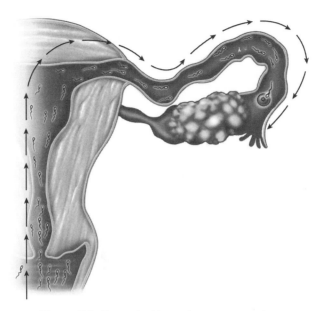

Figura 5.1. Fecundación en la trompa uterina.

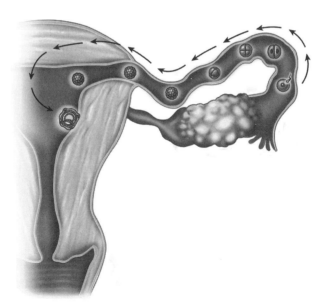

Figura 5.1a. Fecundación e implantación del embrión
en el útero de su madre.

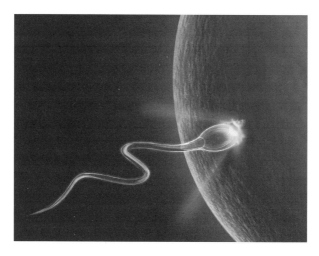

Figura 5.1.*b*. Fecundación, unión del óvulo con el espermatozoide.

todo, con "autonomía" (es decir, con fuerza interior que le permite crecer y desarrollarse sólo durante nueve meses en que durará el embarazo, y después de su nacimiento hasta la muerte).

Claro que este niño que no ha nacido es dependiente de su madre, necesita de su cuerpo, de los nutrientes y del oxígeno que ella le aporta para poder crecer y desarrollarse. Esta necesidad es similar a la que tiene un niño recién nacido de ser cuidado por sus padres, que aunque es autónomo, porque su crecimiento y desarrollo dependen de él, es dependiente porque necesita que su madre lo alimente, lo arrulle, lo cubra, ya que de otra manera, no podría vivir.

El tema del inicio de la vida no es cuestión de dogmas, sino que la ciencia lo ha afirmado desde hace muchos años. Varios científicos destacados a nivel mundial afirman que desde el momento de la fecundación existe una nueva persona humana. Tal es el caso del padre de la genética moderna, el francés Jérôme Lejeune (1926-1994), quien pasó a la historia como el descubridor de la anomalía cromosómica Trisomía 21 (que permite el diagnóstico de los niños con síndrome de Down), y fue uno de los más importantes genetistas del siglo xx. Este destacado investigador mostró en 1970 su oposición al proyecto de ley del aborto de Francia, defendiendo con argumentos médicos la existencia de la vida desde el momento de la concepción. Asimismo, rechazó términos como "pre-embrión"

que respaldaban entonces, y todavía lo hacen, las teorías abortis-
tas. Tanto rechazo produjo su postura, que dejó de recibir recursos
para sus investigaciones, pero él siguió defendiendo la vida de
toda persona hasta el día de su muerte en 1994.[22]

Quien ganó el Premio Nobel de Medicina 2012, el doctor Shin-
ya Yamanaka, también es un defensor de la vida humana desde la
fecundación. Él logró con sus investigaciones la creación de células
que se comportan de manera idéntica a las células de los embriones,
sin tener que destruir embriones humanos. El doctor Yamanaka era
profesor asistente de farmacología y realizaba investigaciones con
células de embriones. Por invitación de un amigo, acudió a una
clínica donde se almacenaban embriones humanos. Al mirar en el
microscopio a uno de ellos, su carrera científica cambió: "Cuando
vi el embrión humano, de repente comprendí que sólo había una
pequeña diferencia entre ella y mis hijas", declaró el reconocido
doctor, de 45 años y padre de dos hijos. "Pensé: no podemos seguir destruyendo embriones para nuestra investigación; debe haber otra manera".

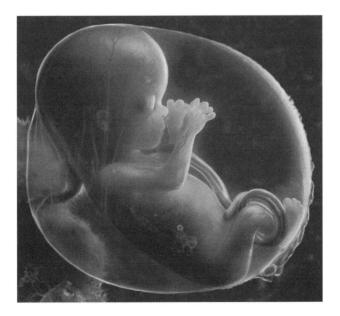

Figura 5.2. Niño no nacido de 12 semanas de gestación,
o casi 3 meses.

La llegada de una nueva vida siempre es un regalo. Imagínate cómo recibirías la noticia si te ganaras la lotería, sería una gran sorpresa que compartirías con toda tu familia y te llenaría de felicidad. La llegada de un hijo tiene un valor infinitamente mayor que ganarse la lotería; por lo que ese bebé merece nacer en una familia donde sus padres estén juntos, casados y se amen.

La maternidad es un tesoro y todas las mujeres tenemos esa vocación. ¿No te acuerdas cuando eras niña cómo jugabas a las muñecas?; ellas no eran un juguete nada más, eran nuestras hijas, nuestras nenas, las cargábamos, arrullábamos, les dábamos de comer, las dormíamos. ¿Ves cómo desde pequeñas las mujeres cuidamos y queremos a los bebés?

La vocación de la maternidad está presente en todas las mujeres, algunas se casan y tienen hijos, otras se casan pero no pueden tener hijos y adoptan pequeñitos; otras más deciden no casarse y no tener hijos biológicos, pero esas mujeres siguen teniendo vocación de madre, tienen hijos espirituales, pues dedican a dar su vida a los demás, cuidan enfermos, niños y personas sin familia. Tal es el caso de Teresa de Calcuta, Premio Nobel de La Paz en 1992. Ella vivía en la India, en Calcuta, una de las ciudades más pobres del mundo. Dedicó su vida a entregarse a los demás, a vivir la maternidad espiritual cuidando especialmente a los más desamparados y necesitados.

¡Ves cómo vivir la maternidad es un regalo de la vida! Es por eso que vale la pena que la mujer sea madre en la edad adulta, que su bebé sea el resultado del amor, y que los hijos nazcan en las mejores condiciones, en una familia, donde los papás se amen, se respeten, estén casados y comprometidos; una familia que pueda llenarlos de cariño y de cuidados.

NOTAS

1. Martins Mda, G. *et al.*, *Association of pregnancy in adolescence and prematurity*, vol. 33, núm. 11, Rev Bras Ginecol Obstet, 2011, pp. 354-360.
2. Jolly, M. C. *et al.*, *Obstetric risks of pregnancy in women less than 18 years old*, vol. 96, núm. 6, Obstet Gynecol, 2000, pp. 962-966.

- Santos, G. H. *et al.*, *Impact of maternal age on perinatal outcomes and mode of delivery*, vol. 31, núm. 7, Rev Bras Ginecol Obstet, 2009, pp. 326-334.
3. Fraser, A. M. *et al.*, *Association of young maternal age with adverse reproductive outcomes*, vol. 332, núm. 17, New Engl J Med, 1995, pp. 1113-1117.
4. Gortzak-Uzan, L. *et al.*, *Teenage pregnancy: risk factors for adverse perinatal outcome*, vol. 10, núm. 6, J Matern Fetal Med, 2001, pp. 393-397.
5. Chen, X. K. *et al.*, *Teenage pregnancy and adverse birth outcomes: a large population based retrospective cohort study*, vol. 36, núm. 2, Int J Epidemiol, 2007, pp. 368-373.
    - Chen, X. K. *et al.*, *Increased risks of neonatal and postneonatal mortality associated with teenage pregnancy had different explanations*, vol. 61, núm. 7, J Clin Epidemiol, 2008, pp. 688-694.
    - Cunnington, A. J., *What's so bad about teenage pregnancy?*, vol. 27, núm. 1, J Fam Plann Reprod Health Care, 2001, pp. 36-41.
6. Donoso Siña, E. *et al.*, *Birth rates and reproductive risk in adolescents in Chile 1990-1999*, vol. 14, núm 1, Rev Panam Salud Pública, 2003, pp. 3-8.
7. Cavazos-Rehg, P. A. *et al.*, *Substance use and the risk for sexual intercourse with and without a history of teenage pregnancy among adolescent females*, vol. 72, núm. 2, J Stud Alcohol Drugs, 2011, pp. 194-198.
8. Tripa, J., R., Viner, *Sexual health, contraception, and teenage pregnancy*, núm. 330, BMJ, 2005, pp. 590-593.
9. Malamitsi-Puchner, A., T., Boutsikou, *Adolescent pregnancy and perinatal outcome*, Pediatr Endocrinol, Rev. 2006, 3 Suppl 1, pp. 170-171.
10. Waldron, M. *et al.*, *Age at first sexual intercourse and teenage pregnancy in Australian female twins*, vol. 10, núm. 3, Twin Res Hum Genet, 2007, pp. 440-449.
11. Gutiérrez, J. P. *et al.*, *Encuesta Nacional de Salud y Nutrición 2012*, Resultados Nacionales, Instituto Nacional de Salud Pública, Cuernavaca, México, 2012.
12. Pantelides, E. A., *Aspectos sociales del embarazo y la fecundidad adolescente en América Latina*, Organización de las Naciones Unidas, 1998, p. 11.
13. Lee, S. H. *et al.*, *A review on adolescent childbearing in Taiwan: its characteristics, outcomes and risks*, vol. 19, núm. 1, Asia Pac J Public Health, 2007, pp. 40-42.
14. Holzman, C. *et al.*, *A life course perspective on depressive symptoms in mid-pregnancy*, vol. 10, núm. 2, Matern Child Health J., 2006, pp. 127-138.

15. Chagas de Almeida, M. C., E. M., Aquino, *Adolescent pregnancy and completion of basic education: a study of young people in three state capital cities in Brazil*, vol. 27, núm. 12, Cad Saúde Pública, 2011, pp. 2386-2400.
16. Molina, M. *et al.*, *The relationship between teenage pregnancy and school desertion*, vol. 132, núm. 1, Rev Med Chil, 2004, pp. 65-70.
17. Lara, M. A. *et al.*, *Population study of depressive symptoms and risk factors in pregnant and parenting Mexican adolescents*, vol. 31, núm. 2, Rev Panam Salud Pública, 2012, pp. 102-108.
18. Brindis, C. D., *A public health success: understanding policy changes related to teen sexual activity and pregnancy*, núm. 27, Annu Rev Public Health, 2006, pp. 277-295.
19. *Mujeres y hombres en México 2011*, INEGI, México, 2012, pp. 25-26.
20. *Mujeres y hombres en México 2011*, INEGI, México, 2012.
21. Whitehead, E., *Understanding the association between teenage pregnancy and inter-generational factors: a comparative and analytical study*, vol. 25, núm. 2, Midwifery, 2009, pp. 147-154.
22. Disponible en: <http://www.fondationlejeune.org/>.

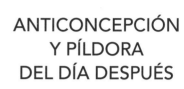

ANTICONCEPCIÓN Y PÍLDORA DEL DÍA DESPUÉS

Capítulo 6

Caso 3. Yolanda es estudiante, tiene 22 años, y hasta esta edad se conservaba virgen. Empezó a tener relaciones sexuales con Juan, de 23 años, después de dos meses de iniciar su noviazgo. Él ya había tenido relaciones sexuales antes, con otras mujeres, pero Yolanda ignoraba con cuántas. Alguna vez Yolanda le preguntó, pero Juan no quiso responder. A los tres meses de noviazgo, ella contactó a *Sexo Seguro, A. C.*, pues necesitaba orientación: había tenido relaciones sexuales con condón y había tomado la píldora de emergencia. Se sentía mareada y había tenido sangrado. Estaba preocupada. Recibió orientación por parte de un médico especialista sobre los efectos en el cuerpo de la mujer y la forma en que actúa esta pastilla. En los siguientes seis meses, volvió a contactar cinco veces más a *Sexo Seguro*, ya que seguía teniendo relaciones sexuales y había usado en tres nuevas ocasiones más la píldora de emergencia. Yolanda estaba desconcertada: se sentía triste, poco valorada por su novio y no sabía qué hacer, un médico de *Sexo Seguro* le explicó los riesgos que implica el usar la píldora de emergencia; la hizo pensar sobre el propósito de un noviazgo y el riesgo de no exponerse a circunstancias que sólo incrementen en ella su inseguridad.

Yolanda respondió a *Sexo Seguro*:

¿Y cómo le hago para que mi novio me respete? Le digo las cosas, y sólo me dice: "ok, está bien". Gracias por tu orientación y sí, tienes razón: me he sentido mal últimamente, siento que nada más me quiere para eso, ya no me llama como antes, ya casi no me dice te quiero y me duele mucho porque yo sí lo quiero, pero no sé cómo saber si él en verdad me quiere o qué preguntas hacerle para saber.

Un mes después, Yolanda hizo la siguiente consulta:

Amigos de *Sexo Seguro, A. C.*, les escribo porque nuevamente estoy nerviosa por pensar en un embarazo. Me bajó mi periodo el 5 de noviembre, y el 22, 23, 24 y 25 tuve relaciones con mi novio, pero él usó condón. Esos días tuve relaciones con él porque nos fuimos de viaje, pero él siempre usó condón, y pues bueno, regresamos el 26, y yo el 27 me tomé la pastilla de emergencia, pero el día 30 tuve un sangrado de como cuatro o cinco días, ¿puedo estar embarazada?

Sexo Seguro la orientó nuevamente. Antes que nada le hizo ver que no estaba embarazada; la invitó a que se valorara, a que se diera cuenta de que el sexo puede ser algo maravilloso dentro de un compromiso para toda la vida, donde exista amor entre ambos, y que el tener sexo con su novio no era la forma de darle seguridad a su relación ni de generar un interés real por ella.

En los meses subsecuentes, Yolanda escribió a *Sexo Seguro* los siguientes comentarios:

Gracias por su orientación, ya le dije que si en verdad me quiere, seguirá a mi lado aunque no haya ni un tipo de relación, y si no, pues que se vaya; ya vendrá alguien que me valore por lo que soy y no sólo por relaciones sexuales.

* * *

Muchas gracias, preferí dejarlo, porque le dije que no quería ya tener relaciones sexuales, y me dijo que pues entonces no salíamos hasta que yo le pagara lo del viaje y realmente eso terminó todo. Lo dejé, y le dije que ya no quería nada con él. Ya ha pasado un mes y realmente sí me siento en paz, pero me dijo que quería ser mi amigo con derecho, yo le dije que no, y ya no le hablé.

* * *

Me siento tan rara al verlo, me duele haberlo dejado. Yo sí lo quería, no sé cuánto, pero sí lo quería. Yo quería formar una vida con él, pero me fue imposible. Él decía que sí me amaba, y que me ama, pero no son congruentes sus palabras con los hechos. Los hechos eran diferentes. Me decía de groserías cuando según lo hacía enojar. No quería que yo supiera dónde vivía, y ni me presentaba con su familia; nunca me presentó a sus amigos; a mi casa nunca quiso venir o conocer a mi familia. Él decía que no estaba listo, y a mí me dolía porque yo sí estaba lista; él decía que estaba inseguro, pero nunca entendí qué inseguridad pudo haber tenido si le abrí las puertas de mi corazón. Lo amaba, le daba lo que yo podía, trataba de que él se sintiera feliz, pero creo que nunca lo hice feliz y nunca me amó tanto como yo a él.

* * *

¿Te acuerdas que te conté que ya había cortado a mi novio hace unos meses? Hoy vi una foto de él que subió al Facebook con su nueva novia, lo que conmigo nunca quiso hacer. Me sentí tan mal, me dio mucho coraje, y sí me dolió mucho. Sólo sé que fui utilizada por una persona casi dos años. Me siento nefasta, cochina y un asco, ¿qué hice mal para que me pasara esto?, ¿por qué me hizo eso?, tengo mucho coraje por dentro y mucho dolor que no sé cómo sacarlo de mí; siento que tengo un cuchillo enterrado en el pecho, quisiera gritar y golpear. Me siento fatal y no sé qué hacer.

* * *

Hace unas semanas te conté lo que me había pasado con mi ex, ¿sabes? he estado asistiendo al psicólogo, porque me ha sido un poco difícil esto. Él ya tiene otra chava, a ella sí la publica por Facebook; dice que la ama y que es el amor de su vida. Qué puedo decir, que a pesar de todo lo que yo di por él, fue en vano y que él realmente no me quería, me queda claro, pero me lastimó mucho.

En su último correo, Yolanda comentó lo siguiente:

En estos momentos estoy bien, realmente me he sentido tranquila. La siguiente semana tengo que ir a mi terapia, y pues la última vez que fui me dijo el psicólogo que ya voy mejorando. Me he dado cuenta de que debo cuidar mi cuerpo, y no tener relaciones sexuales hasta que haya algo serio y me case. Quiero contarte que tengo un amigo, desde hace un año lo es, y pues hemos salido poco a poco; viene a visitarme en las tardes, me ayuda en mi quehacer, y me apoya. Nunca me había sentido así, me escucha, me da su opinión, y si tengo un problema, lo resolvemos; siempre me dice que todo se puede solucionar hablando. Ya conozco a su familia; pero poco a poco pues no quiero arruinar nada por mi bien, y por los que me quieren. Muchas gracias por escucharme y darme esos sabios consejos que me han ayudado mucho; realmente de todo corazón gracias.

Vivimos en una sociedad en donde cada vez es más importante el cuidado del cuerpo y de la salud: comer sano, evitar bebidas azucaradas, consumir productos orgánicos, libres de pesticidas; por ejemplo, carne, pollo y huevos en los que los animales no hayan recibido hormonas para crecer más rápido de lo normal. Querer comer sanamente es algo bueno, pues debemos cuidar nuestro cuerpo; pero, ¿cómo es posible que cuidemos lo que comemos pero estemos dispuestas a tomar directamente esas hormonas que queremos evitar en la comida? ¿No es eso una incongruencia? Pues eso es tomar anticonceptivos, una gran incongruencia.

Los anticonceptivos son aquellos métodos o sustancias que impiden que se dé un embarazo después de una relación sexual; en otros casos, actúan impidiendo que el embarazo siga adelante. Recuerda que como lo vimos en el capítulo 5, desde la fecundación inicia la vida de una nueva persona y, el embarazo.

Existen varias clasificaciones sobre los anticonceptivos; te comparto una de ellas:

I. TEMPORALES

a) **Hormonales de dosis regular:** Dentro de éstos encontramos las pastillas, las inyecciones, los implantes, los parches o los anillos.

La mayoría de las personas, piensa que al usar este tipo de anticonceptivos, la mujer deja de ovular y, por lo tanto, ya no hay posibilidad de embarazo después de una relación sexual. Así es como funcionaban cuando se inventaron, pero con el paso de los años, fueron cambiando las dosis. Ahora actúan de varias formas en el cuerpo de la mujer, por ejemplo:

- Pueden hacer que no ovules.
- También alteran la movilidad de las trompas uterinas.
- Afectan el moco cervical.

- Afecta el endometrio,[1] la parte más interna del útero, donde durante el embarazo se pega o se implanta el bebé a su mamá; por lo que si uno tuvo relaciones sexuales y, en ese mes, el "anticonceptivo" no evitó la ovulación, el efecto de estas pastillas podría actuar como abortivo, al no permitir que ese pequeñísimo bebé llamado cigoto pudiera pegarse o implantarse en el útero de su mamá.

Además de esto, cientos de estudios científicos han demostrado cómo afectan los anticonceptivos hormonales la salud de la mujer; algunos de éstos son los siguientes:

- Migraña.[2]
- Trombos en las piernas (trombosis venosa).[3]
- Infartos al corazón (infarto agudo al miocardio).[4]
- Aumento de la tensión arterial durante el embarazo (preeclampsia).[5]
- Tromboembolias.[6]
- Infartos en el cerebro.[7]
- Hemorragias cerebrales.[8]
- Aumento de cáncer cervicouterino[9] y de mama.[10]
- Aumento de cáncer de ovario,[11] entre muchas otras.[12]

Tan graves pueden ser las consecuencias que tienen los anticonceptivos en la salud de la mujer, que la Organización Mundial de la Salud los cataloga como cancerígenos tipo 1; es decir, si los usas tienes mucho más riesgo de presentar cáncer con el tiempo, de igual forma que fumar aumenta el riesgo de cáncer.[13]

Los efectos de los anticonceptivos en la salud de las mujeres han sido alarmantes. Tan sólo en Estados Unidos, existen miles de demandas contra las empresas que producen y venden anticonceptivos. Debes saber que la empresa Bayer (que vende anticonceptivos y dispositivos intrauterinos) tuvo que pagar 1.8 mil millones de dólares, debido a las miles de demandas que han ganado las mujeres usuarias de anticonceptivos, cuya salud ha sido afectada,[14] sobre todo al padecer trombosis en las piernas, y en muchos casos dejar de caminar.

b) **Antiimplantatorios:** En este grupo encontramos al DIU, también llamado dispositivo intrauterino, y a la píldora de emergencia o píldora del día siguiente. Se llaman antiimplantatorios porque pueden actuar evitando que ese pequeñísimo bebé llamado cigoto pueda pegarse al útero de su mamá.[15]

El **DIU**[16] es un aparato de plástico con forma de "T" que se coloca dentro del útero de la mujer. Actúa de dos formas: alterando a los espermatozoides para evitar la fecundación, y, de manera importante, al ser "algo extraño" dentro del útero de la mujer, afecta al endometrio, que es la capa más interna de la matriz, impidiéndole madurar de manera correcta mes a mes; por lo que en caso de haber embarazo, el cigoto no se puede implantar o pegar al cuerpo de su mamá, es decir, que en este caso estaría actuando como abortivo.[17] El DIU también tiene muchos efectos en la salud de la mujer, tales como:

- Sangrados durante todo el mes.[18]
- Quistes en los ovarios.
- Embarazos fuera del útero (embarazo ectópico).
- Infección en todo el cuerpo (sepsis).
- Infección del útero, trompas uterinas y vagina de la mujer (enfermedad pélvica inflamatoria).[19]
- Perforación del útero,[20] y muchos otros más.

Sobre la **píldora del día siguiente**, o de emergencia, debes saber que es una bomba de hormonas; así es, tan sólo en una pastillita puedes encontrar la dosis de 15 pastillas anticonceptivas diarias. Piensa que si usas dos pastillas de emergencia, estarás tomando la dosis de todo un mes de hormonas. ¿No crees que es como una bomba de hormonas para tu cuerpo?

Debes saber que existen varios tipos de pastillas del día siguiente o de emergencia. Éstas actúan de varias formas. Pueden impedir la ovulación,[21] sin embargo, cuando la mujer ya ovuló y hubo fecundación después de una relación sexual, afectan al endometrio,[22] es decir, que la capa interna del útero donde se pega el bebé es alterada, por tanto actúa como un abortivo.[23]

También pueden tener efectos inmediatos en la salud de la mujer como:

- Dolor intenso de cabeza.[24]
- Náusea, vómito[25] y mareos.
- Intenso dolor abdominal.[26]
- Efecto zombie (médicamente se conoce como letargia,[27] es decir, que estás medio desmayada, pero no completamente).
- Hemorragias vaginales intensas, entre otras.[28]
- Embarazos fuera del útero de la mujer, llamados embarazos ectópicos.[29]

Debido a que esta píldora es una bomba de hormonas, y su uso es relativamente reciente, todavía no se tienen estudios que indiquen qué pasará con la salud de aquellas chicas que usaron regularmente esta píldora, pues debes saber que hay chicas que llegan a usarla hasta 12 veces al año o más, arriesgando gravemente su salud.

Ahora bien, como podemos ver, los anticonceptivos dañan la salud y la dignidad de la mujer, asimismo, no fomentan el respeto y el amor entre el hombre y la mujer. El uso de anticonceptivos (sean del tipo que sean) es un atentado contra el amor. Te explico el porqué. Como ya lo hemos dicho, las relaciones sexuales están hechas para amar, es el acto más sagrado de entrega, de unión y de aceptación entre un hombre y una mujer; es decir, uno acepta al otro completamente, y eso incluye aceptar su fertilidad. Pero, ¿cómo pensar en entregar todo y en aceptar al otro completamente si estamos usando algo que deja fuera nuestra fertilidad y afecta nuestra salud? Pues esto es la anticoncepción, una barrera contra el amor; por eso es que al final la gente que los usa termina afectando su salud física (sobre todo las mujeres), pero también su salud emocional y espiritual.

Al considerar todas las consecuencias negativas que pueden tener los anticonceptivos hormonales en la salud de la mujer, ¿tú crees que es justo que para vivir a plenitud una relación sexual, que debe ser un acto de entrega de amor entre el hombre y la mujer, nosotras tengamos que arriesgar nuestra salud?

c) **De barrera:** El condón es el gran enemigo entre el amor de un hombre y una mujer. El condón es sexo plástico, sexo falso; es unirte con tu amado, pero con algo sintético en medio de los dos.

Estos métodos tratan de impedir la entrada de los espermatozoides en el cuerpo de la mujer (**condones masculino y femenino**). También existen los **espermicidas** y las **esponjas**, que son sustancias químicas que destruyen o inhiben la movilidad de los espermatozoides.

El condón masculino presenta un porcentaje de fallas para evitar un embarazo de 12[30] a 17%,[31] y hasta de 50% en el segundo año de uso[32] (en relación con la prevención de las infecciones sexuales consulta el capítulo 4). Sobre los espermicidas y esponjas, el porcentaje de efectividad para prevenir un embarazo es de entre 50 y 60%.

Los efectos físicos del uso del condón en la salud pueden ser:

* Irritación y alergia al látex.

De los espermicidas:

* Irritación, picor vaginal e irritación del pene.

El uso masivo del condón sólo ha logrado alejar al hombre del amor de la mujer, y volverlo mucho más irresponsable en el tema de la sexualidad. Cada día es más fácil tener sexo gratis únicamente por placer; creer que al usar un condón no hay "riesgo de embarazo"; por lo que si antes el hombre decidía esperar y respetar a la mujer (aunque fuera por miedo a un embarazo antes de casarse), ahora con el condón no es así. "Gracias" al condón, es mucho más fácil buscar el sexo "fácil y gratis" dentro de una relación, cuando en el fondo no hay ningún tipo de compromiso, sino solamente las ganas de pasar un "buen rato".

II. DEFINITIVOS

La fertilidad es algo bueno, no es una enfermedad. Gracias a que tus abuelos fueron fértiles tus padres existen; gracias a que tus padres fueron fértiles, tú llegaste a este mundo, y gracias a que tú eres fértil, algún día podrás tener hijos. ¿Te das cuenta del gran regalo que es nuestra fertilidad? Gracias a ella estás hoy aquí.

Has escuchado hablar sobre la infertilidad. ¿Cuántas personas hay el día de hoy que sufren este padecimiento y no pueden tener hijos? Ser fértil es parte de la salud de las personas, es un regalo de la vida; por tanto es contradictorio que un médico, cuya vocación consiste en cuidar la salud, opere a un paciente para cortarle la fertilidad. La vasectomía y la salpingoclasia son las únicas cirugías que destruyen a los órganos sanos y saludables para que los hombres o mujeres ya no puedan tener hijos, para volverlos infértiles; se trata simple y llanamente de una "mutilación sexual".

1. Vasectomía: En ésta se ligan, cierran o cortan los conductos deferentes del hombre (es decir, parte de los genitales del hombre). Como efectos pueden presentarse: granulomas,[33] moretones[34] e infecciones[35] hasta en 6%, pero la complicación más grave es que se producen anticuerpos que matan a los espermatozoides.[36]

2. Salpingoclasia: En ésta se ligan o se cortan las trompas uterinas de la mujer.[37] Los efectos son aquéllos relacionados con las cirugías.[38]

Los datos científicos han demostrado las graves consecuencias que tienen los anticonceptivos hormonales en la salud de las mujeres. El DIU puede actuar como abortivo, la píldora de emergencia es una bomba de hormonas, el condón es sexo plástico, así como la salpingoclasia y la vasectomía son una mutilación sexual. Es evidente que todos estos métodos hasta ahora descritos NO son el camino para aprender a amar y a vivir la sexualidad plenamente.

Como lo platicaremos en el capítulo 12, la fertilidad en el hombre y la mujer tiene aspectos muy distintos. El hombre es fértil todos los días de su vida (desde la primera eyaculación o polución nocturna, es decir, los sueños húmedos del hombre), hasta en muchos casos la vejez; el hombre puede embarazar a una mujer las 24 horas del día, los 365 días del año.

La mujer es muy distinta, ella empieza a ser fértil desde la menarquia (la primera menstruación, se da entre los 11 y los 16 años de edad), hasta la menopausia (la última menstruación, entre 45 y 50 años), pero de los 28 días que comprenden un periodo regular, la mujer sólo es fértil entre uno y dos días al mes, es decir, que este tiempo es el que vive el óvulo al salir del ovario, tan sólo de 24 a 48 horas. Ahora, si se ha tenido una relación sexual, los espermatozoides dentro del cuerpo de la mujer viven máximo 5 días; por lo que el periodo de fertilidad en la mujer sería de entre nueve y

10 días. ¡Te das cuenta de esto! ¿Tú crees que por tan pocos días de periodo fértil al mes, vale la pena afectar nuestra salud usando anticonceptivos?

El cuerpo humano es muy sabio. Nos ha donado todos los elementos para darnos cuenta –de manera muy fácil– cuándo la mujer está fértil y cuándo no; es decir, cuáles de estos nueve o 10 días al mes en los que si se tiene relaciones sexuales, la mujer se puede embarazar. Por lo que, en caso de no estar buscando un hijo, toda mujer puede vivir su sexualidad los días que es no fértil, sin afectar su salud.

NOTAS

1. Disponible en:
   http://www.accessdata.fda.gov/drugsatfda_docs/label/2012/021098s022lbl.pdf
   http://www.spfiles.com/pinuvaring.pdf
   http://www.accessdata.fda.gov/drugsatfda_docs/label/2009/021529s004lbl.pdf
   http://www.accessdata.fda.gov/drugsatfda_docs/label/2008/021180s026lbl.pdf
2. Schürks, M. et al., Migraine and cardiovascular disease: systematic review and meta-analysis, BMJ, 2009, 339:b4380.
3. Kemmeren, J. M. et al., Third generation oral contraceptives and risk of venous thrombosis: meta-analysis, vol. 323, núm. 7305, BMJ, 2001, pp. 131-134.
   • Jick, H. et al., Risk of venous thromboembolism among users of third generation oral contraceptives compared with users of oral contraceptives with levonorgestrel before and after 1995: cohort and case-control analysis, vol. 321, núm. 7270, BMJ, 2000, pp. 1190-1195.
   • Lidegaard, O. et al., Venous thrombosis in users of non-oral hormonal contraception: follow-up study, Denmark 2001-10, BMJ, 2012, 344:e2990.
   • Królik, M., H., Milnerowicz, The effect of using estrogens in the light of scientific research, vol. 21, núm. 21, Adv Clin Exp Med, 2012 Jul-Aug, pp. 535-543.
   • Parkin, L. et al., Risk of venous thromboembolism in users of oral contraceptives containing drospirenone or levonorgestrel: nested case-control study based on UK General Practice Research Database, BMJ, 2011, 342:d2139.

• Gorenoi, V. *et al.*, Benefits and risks of hormonal contraception for women, doc. 06,GMS Health Technol Assess, 2007 Aug 10, p. 3.

4. Baillargeon, J. P. *et al.*, *Association between the current use of low-dose oral contraceptives and cardiovascular arterial disease: a meta-analysis*, vol. 90, núm. 7, J Clin Endocrinol Metab, 2005, pp. 3863-3870.

• Lewis, M. A. *et al.*, *The use of oral contraceptives and the occurrence of acute myocardial infarction in young women. Results from the Transnational Study on Oral Contraceptives and the Health of Young Women*, vol. 56, núm. 3, Contraception, 1997, pp. 129-140.

• Chasan-Taber, L., M. J., Stampfer, *Epidemiology of oral contraceptives and cardiovascular disease*, vol. 128, núm. 6, Ann Intern Med, 1998, pp. 467-477.

5. Thadhani, R. *et al.*, *A prospective study of pregravid oral contraceptive use and risk of hypertensive disorders of pregnancy*, vol. 60, núm. 3, Contraception, 1999, pp. 145-150.

6. Lidegaard, O. *et al.*, *Venous thrombosis in users of non-oral hormonal contraception: follow-up study*, Denmark 2001-10, BMJ, 2012 May 10, 344:e2990.

• Lidegaard, Ø. *et al.*, *Hormonal contraception and risk of venous thromboembolism: national follow-up study*, BMJ, 2009 Aug 13, 339: b2890.

• Wu, O. *et al.*, *Screening for thrombophilia in high-risk situations: systematic review and cost-effectiveness analysis. The Thrombosis: Risk and Economic Assessment of Thrombophilia Screening (TREATS) study*, vol. 10, núm. 11, Health Technol Assess, 2006, pp. 1-110.

7. Lidegaard Ø, Løkkegaard E, Jensen A, Skovlund CW, Keiding N. *Thrombotic stroke and myocardial infarction with hormonal contraception*, N Engl J Med, 2012 Jun 14;366(24):2257-2266.

• Gillum, L. A. *et al.*, *Ischemic stroke risk with oral contraceptives: A meta-analysis*, vol. 284, núm. 1, JAMA, 2000, pp. 72-78.

8. *Food and Drug Administration Office of Surveillance and Epidemiology. Combined hormonal contraceptives (CHCs) and the risk of cardiovascular disease endpoints.* Disponible en: <http://www.fda.gov/downloads/Drugs/DrugSafety/UCM277384.pdf>.

• Johnston, S. C. *et al.*, *Oral contraceptives and the risk of subarachnoid hemorrhage: a meta-analysis*, vol. 51, núm. 2, Neurology, 1998, pp. 411-418.

9. *International Collaboration of Epidemiological Studies of Cervical Cancer. Cervical cancer and hormonal contraceptives: collaborative reanalysis of individual data for 16 573 women with cervical cancer and 35 509 women without cervical cancer from 24 epidemiological studies*, núm. 370, Lancet, 2007, pp. 1609-1621.

10. Królik, M., H., Milnerowicz, *The effect of using estrogens in the light of scientific research*, vol. 21, núm. 4, Adv Clin Exp Med, 2012 Jul-Aug, pp. 535-543.

- Kahlenborn, C., et al., *Oral contraceptives and breast cancer*, vol. 83, núm. 7, Clin Proc, 2008, pp. 849-850.

- Cibula, D. et al., *Hormonal contraception and risk of cancer*, vol. 16, núm. 6, Hum Reprod Update, 2010 Nov-Dec, pp. 631-650.

- Antoniou, A. C., et al., *Reproductive and hormonal factors, and ovarian cancer risk for BRCA1 and BRCA2 mutation carriers: results from the International BRCA1/2 Carrier Cohort Study*, vol. 18, núm. 2, Cancer Epidemiol Biomarkers Prev, 2009 Feb, pp. 601-610.

11. Bernstein, L., *The risk of breast, endometrial and ovarian cancer in users of hormonal preparations*, vol. 98, núm. 3, Basic Clin Pharmacol Toxicol, 2006, pp. 288-296.

12. *UNDP/UNFPA/WHO/World Bank Special Programme of Research, Development and Research Training in Human Reproduction (HRP) Carcinogenicity of combined hormonal contraceptives and combined menopausal treatment*, Statement, September 2005.

13. World Health Organization, International Agency For Research on Cancer, IARC, *Combined Estrogen-Progestogen Contraceptives and Combined Estrogen-Progestogen Menopausal Therapy*, Monographs on the Evaluation of Carcinogenic Risks to Humans, vol. 91, Francia, 2007.

14. Stockholders Newsletter, Bayer Financial Report as of June 30, 2014, Second quarter of 2014. Disponible en: <http://www.stockholders-newsletter-q2-2014.bayer.com/en/bayer-stockholders-newsletter-q2-2014.pdfx>.

15. Berenson, A. et al., *Complications and Continuation of Intrauterine Device Use Among Commercially Insured Teenagers*, vol. 121, núm. 5, Obstet Gynecol, May. 2013, pp. 951-958.

16. Disponible en: <http://labeling.bayerhealthcare.com/html/products/pi/Mirena_PI.pdf>.

17. Disponible en: <http://www.accessdata.fda.gov/drugsatfda_docs/label/2005/018680s060lbl.pdf>.

18. Dickerson, L. M. et al., *Satisfaction, early removal, and side effects associated with long-acting reversible contraception*, vol. 45, núm. 10, Fam Med, SEBAS, 2013 Nov-Dec, pp. 701-717.

19. Berenson, A. B. et al., *Complications and Continuation of Intrauterine Device Use Among Commercially Insured Teenagers*, vol. 121, núm. 5, Obstet Gynecol, May, 2013, pp. 951-958.

20. Desteli, G. A. *et al.*, *Thrombocytosis and small bowel perforation: unusual presentation of abdominopelvic actinomycosis*, vol. 7, núm. 12, J Infect Dev Ctries, 2013 Dec 15, pp. 1012-1015.

21. Hapangama, D. *et al.*, *The effects of peri-ovulatory administration of levonorgestrel on the menstrual cycle*, vol. 63, núm. 3, Contraception, 2001, pp. 123-129.

   • Durand, M. *et al.*, *On the mechanism of action of short-term levonorgestrel administration in emergency contraception*, vol. 64, núm. 4, Contraception, 2001, pp. 227-234.

   • Marions, L. *et al.*, *Emergency contraception with mifepristone and levonorgestrel: mechanism of action*, núm. 100, Obstet Gynecol, 2002, pp. 65-71.

22. Guida, M. *et al.*, *Emergency contraception: an updated review*, núm. 1, Transl Med UniSa, 2011 Oct 17, pp. 271-294.

   • Kahlenborn, C., W. B., Severs, *Comment in: reply Emergency contraception*, vol. 80, núm. 3, Cleve Clin J Med, 2013 Mar, p. 185.

23. Young, D. C., *et al.*, *Emergency contraception alters progesterone-associated endometrial protein in serum and uterine luminal fluid*, vol. 84, núm. 2, Obstet Gynecol, 1994, pp. 266-271.

   • Disponible en: <http://www.accessdata.fda.gov/drugsatfda_docs/label/2010/022474s000lbl.pdf>.

   • Koyama, A. *et al.*, *Emerging options for emergency contraception*, núm. 7, Clin Med Insights Reprod Health, 2013 Feb 18, pp. 23-35.

   • Disponible en: <http://www.accessdata.fda.gov/drugsatfda_docs/label/2009/021998lbl.pdf>; <http://www.nlm.nih.gov/medlineplus/druginfo/meds/a610021.html>.

   • Shohel, M. *et al.*, *A systematic review of effectiveness and safety of different regimens of levonorgestrel oral tablets for emergency contraception*, núm. 14, BMC Womens Health, 2014 Apr 4, p. 54.

24. Katzman, D., D., Taddeo, *Emergency contraception*, vol. 15, núm. 6, Paediatr Child Health, 2010 Jul, pp. 363-372.

25. Katzman, D., D., Taddeo, *Emergency contraception*, vol. 15, núm. 6, Paediatr Child Health, 2010 Jul, pp. 363-372.

26. Fine, P. *et al.*, *Ulipristal acetate taken 48-120 hours after intercourse for emergency contraception*, vol. 115 (2 Pt 1), Obstet Gynecol, 2010, pp. 257-263.

27. Ashok, P. W. *et al.*, *Templeton A. Mifepristone versus the Yuzpe regimen (PC4) for emergency contraception*, vol. 87, núm. 2, Int J Gynaecol Obstet, 2004, pp. 188-193.

28. Shohel, M. *et al.*, "A systematic review of effectiveness and safety of different regimens of levonorgestrel oral tablets for emergency contraception", vol. 14, *BMC Womens Health*, 2014 Apr 4, p. 54.

• Gainer, E. *et al.*, "Menstrual bleeding patterns following levonorgestrel emergency contraception", vol. 74, núm. 2, *Contraception*, 2006, Aug, pp. 118-124.

29. Cleland, K. *et al.*, "Ectopic pregnancy and emergency contraceptive pills: a systematic review", vol. 115, núm. 6, *Obstet. Gynecol.*, 2010, Jun, pp. 1263-1266.

30. Trussell, J., "Contraceptive failure in the United States, vol. 70, núm. 2, *Contraception*, 2004, pp. 89-96.

• Parkes, A. *et al.*, "Contraceptive method at first sexual intercourse and subsequent pregnancy risk: findings from a secondary analysis of 16-year old girls from the RIPPLE and SHARE studies", vol. 44, núm. 1, J *Adolesc Health*, 2009, pp. 55-63.

30. Gayón, V. E. *et al.*, "Efectividad del preservativo para prevenir el contagio de infecciones de trasmisión sexual", vol. 76, núm. 2, *Ginecol. Obstet. Mex.*, 2008, pp. 88-96.

31. Kost, K. *et al.*, "Estimates of contraceptive failure from the 2002 National Survey of Family Growth", vol. 77, núm. 1, *Contraception*, 2008, pp. 10-21.

32. Gayón, V. E. *et al.*, "Efectividad del preservativo para prevenir el contagio de infecciones de trasmisión sexual", vol. 76, núm. 2, *Ginecol. Obstet. Mex.*, 2008, pp. 88-96.

33. McDonald, S. W., "Cellular responses to vasectomy", núm. 199, *Int. Rev. Cytol*, 2000, pp. 295-339.

34. Akkaya, T., D., Ozkan, "Chronic post-surgical pain", vol. 21, núm. 1, *Agri*, 2009, Jan, pp. 1-9.

35. McCormack, M., S., Lapointe, "Physiologic consequences and complications of vasectomy", vol. 138, núm. 3, *CMAJ*, 1988, Feb. 1, pp. 223-225.

• Peng, J. *et al.*, "Causes of suspected epididymal obstruction in Chinese men", vol. 80, núm. 6, *Urology*, 2012, Dec., pp. 1258-1261.

36. Awsare, N. S. *et al.*, "Complications of vasectomy", vol. 87, núm. 6, Ann. R. Coll Surg Engl., 2005, Nov., pp. 406-410.

37. Greenberg, J. A., "Hysteroscopic sterilization: history and current methods", vol. 1, núm. 3, *Rev. Obstet. Gynecol.*, 2008, pp. 113-121.

• Dias, D. S. *et al.*, "Clinical and psychological repercussions of videolaparoscopic tubal ligation: observational, single cohort, retrospective study", *São Paulo Med. J.*, 2014, aug. 22.

38. Ozgür, B. C. *et al.*, *Ureteral Stricture after Laparoscopic Tubal Ligation due to Suturing of the Serosa*, núm. 2012, Case Rep. Urol, 2012, p. 546989.

ABORTO

Capítulo 7

Caso 4. Brenda es una chica de 18 años. Vive con sus papás. Ella está por terminar la prepa. Tiene novio; él se llama Leo, y tiene 21. Son novios desde hace casi tres años. Empezaron a tener relaciones sexuales cuando ella cumplió 17 años. Ha sido el único chico con quien Brenda ha tenido relaciones; pero él sí había tenido relaciones con otras dos chicas más. Brenda es una chica estudiosa; le va bien en la escuela, y quiere entrar a la universidad a estudiar psicología.

Cuando empezaron a tener relaciones sexuales, acudieron a un centro de salud para solicitar un método anticonceptivo. Ella optó por usar inyecciones. Después de seis meses de uso, se sentía muy mal, había subido de peso, estaba de mal humor todo el tiempo, por lo que dejó de usar las inyecciones y empezaron a usar el condón. Después de un año de uso del condón, Brenda quedó embarazada. No sabían qué hacer. Ella se sentía triste, desesperada porque quería seguir estudiando. Leo le dijo que él no quería ser papá todavía, que pensaba que lo mejor era abortar. Ella, al sentirse sola y sin querer hablar con sus papás de esto, acudió a una clínica y le practicaron un aborto.

Después de esto, Brenda escribió a *Sexo Seguro, A. C.*:

> Me siento morir, no sé qué voy a hacer con esto. Ayer en la calle vi a un bebé y me puse a llorar, pues hace dos meses tuve un aborto

y estoy muy arrepentida. Mis papás me preguntan qué me pasa y no sé qué decirles; ya no quiero entrar a la universidad, ya no quiero ver a mi novio, no quiero nada, necesito ayuda.

Un médico especialista de *Sexo Seguro, A. C.*, la orientó, le recomendó acudir con una institución de ayuda para mujeres en su situación. Le habló de la importancia de aceptar los errores, pero también de perdonarse.

Brenda volvió a escribir a los 15 días:

Hola, quiero decirles que hablé a la institución de ayuda a la mujer. Me dieron una cita, espero me puedan ayudar. Terminé con mi novio, no quiero saber de él; creo que si realmente me hubiera querido, habríamos tenido a nuestro hijo, pero él no me apoyó, me dejó sola. Espero algún día hablar con mis papás de esto, y puedan perdonarme por lo que hice.

A los tres meses, escribió nuevamente a *Sexo Seguro, A. C.*:

Hola, les escribo para agradecerles. Estoy acudiendo a terapia, a la institución de ayuda a la mujer. Estoy mejor. Todavía me siento triste, pero estoy tratando de perdonarme por lo que hice y de encontrar un nuevo camino en mi vida. Ojalá que esto que me pasó a mí, no le pase a ninguna otra chica, pues sí hay opciones cuando una está embarazada sin haberlo esperado. Siempre hay algo que se puede hacer para quedarte con tu bebé. El aborto nunca soluciona las cosas. Gracias por sus consejos y su ayuda.

¿Sabías que cada año mueren más de 43 millones de niños no nacidos abortados?[1] Es decir, mueren más niños por aborto que por hambre, por guerras, por SIDA o por cualquier otra cosa. ¿Te das cuenta de lo grave del aborto?

El aborto es quitarle la vida a un niño que no ha nacido. Es una realidad, una tragedia, pero no sólo para el bebé que muere, sino también para la madre. Es importante que sepas que antes de hablar mal de alguna mujer que haya abortado, hay que pensar en la situación que pudo haber vivido, pues en la mayoría de los casos las mujeres que recurren al aborto es porque no tienen apoyo, se sienten solas, desesperadas, tal vez el padre de su hijo las dejó, las abandonó, su familia las rechazó. Toda esta tristeza y desesperación pueden llevar a una mujer a tomar la decisión equivocada.

¿Qué podemos hacer ante esto? Cada quien puede hacer mucho, lo primero es apoyar a las mujeres que están en esta situación, que viven un embarazo inesperado y no saben qué hacer. Si tú conoces una chica en esta situación invítala a ser valiente y a darle la oportunidad de vivir a su hijo; pero también refiérela a alguna institución que la pueda ayudar. Existen varias instituciones de ayuda, una de ellas es Yoliguani (www.yoliguani. org) y otra es Vifac (www.vifac.org).

Vifac es una institución que apoya de manera gratuita y confidencial a las mujeres que viven un embarazo inesperado y se encuentran en una situación vulnerable. Vifac apoya con alimentación, hospedaje, servicios médicos y capacitación a cualquier mujer que esté embarazada y se encuentre sin ayuda. Ellos están en 24 estados de todo el país. En estas casas de apoyo, se orienta a las madres solteras o desamparadas para que puedan sacar adelante a sus hijos. Hay algunos casos en que las mujeres viven problemas tan extremos que ellas libremente desean que sus hijos nazcan, y después de eso darlos en adopción. Desde su fundación, en 1985, han apoyado a más de 20 000 mujeres y han permitido que más de 11 000 niños nazcan, de los cuales 3 500 han sido integrados a una familia adoptiva.

Figura 7.1. Vifac.

¿EL ABORTO TIENE CONSECUENCIAS EN LA MUJER?

Las mujeres que optan de manera confusa por realizarse un aborto, en la mayoría de los casos, tienen consecuencias físicas y psicológicas que pueden durar toda la vida. Los estudios científicos reportan lo siguientes datos sobre las mujeres que han tenido un aborto provocado:

- Tienen 50% más posibilidad de tener depresión y ansiedad, que aquellas que tuvieron a sus bebés.[2]
- Tienen 155 veces más riesgo de llevar a cabo un suicidio y 81 veces más riesgo de sufrir alguna enfermedad mental.[3]
- Tienen 220 veces más riesgo de consumir marihuana y 110 veces más posibilidad de consumir alcohol que aquellas que no han abortado.
- Son 30% más propensas de usar drogas[4] y alcohol en embarazos futuros.[5]
- Las mujeres que han abortado tienen más riesgo de morir por problemas vasculares y cerebrovasculares.[6]
- Tienen 80% mayor riesgo de muerte durante el primer año después del aborto, y 40% más riesgo de muerte en 10 años.[7]
- El número de abortos es directamente proporcional al riesgo de muerte: 45% para un aborto, 114% para dos y 191% para tres, comparado con las mujeres que no han tenido un aborto.
- Los riesgos de muerte en la mujer durante un futuro aborto aumentan según el número de abortos que haya tenido antes: 45% si se trata del primer aborto intencional o inducido; 114% si se trata del segundo aborto, y 191% si resulta que esa mujer lleva más de tres abortos; esto en comparación con las mujeres que no han tenido un aborto.[8]

Asimismo, las mujeres que han abortado tienen más posibilidad de tener problemas en embarazos futuros, por ejemplo:

- Mayor posibilidad de tener hijos con bajo peso al nacer.[9]
- Tener hijos menores al tamaño normal.[10]
- Hijos que nazcan antes de tiempo.[11]

- Más riesgo de tener abortos naturales en los siguientes embarazos.[12]

Por otro lado, las mujeres que están embarazadas y no abortan, tienen menor riesgo de suicidio; pues la maternidad es un factor protector contra el suicidio.[13]

Si conoces a alguna mujer que haya abortado, tú puedes ayudarla. Es muy probable que necesite ayuda profesional en este momento de su vida. Invítala a que consulte la página de *IRMA, A. C.*, (www.irma.org.mx) o que marque al 01 800 911 47 62, la ayuda es totalmente confidencial y gratuita.

Aborto: ¿derecho de la mujer o negocio?

Aunque mucho se ha argumentado que el aborto es un derecho de las mujeres, y que esta práctica no las afecta, esto es falso. La repetida frase: "La mujer es dueña de su cuerpo" es tan sólo una trampa. Ese supuesto derecho no implica que cada mujer embarazada puede quitarle la vida a su bebé en gestación, pues la ciencia nos confirma que desde la concepción existe una nueva persona (véase capítulo 5), y no existe ningún derecho por encima del primero, que es el derecho a la vida.

Figura 7.2. El no nacido tiene derechos, el primero es a vivir.

Todo esto debe llevarnos a pensar: ¿Por qué la mujer vive un embarazo inesperado? ¿Por qué la mujer debe cargar con la responsabilidad del embarazo, si para su procreación se necesitó también del hombre? ¿Por qué los gobiernos buscan impulsar el aborto argumentando derechos falsos de la mujer? ¿No será que todo esto tiene que ver con las políticas internacionales e ideologías que buscan disminuir el crecimiento de más niños en países en desarrollo, como es México?

Muchos *slogan* o frases se han utilizado para impulsar la legalización del aborto: "La mujer es dueña de su cuerpo", "un embrión humano es un montón de células, no es persona", "hijos cuando yo quiera, no cuando lleguen", entre otras. La realidad es que el aborto es un gran negocio. Pensemos un momento: cuando se legaliza el aborto, los hospitales grandes disponen al público de este nuevo servicio o se abren nuevas clínicas especializadas en practicar abortos, que cobran por realizar los abortos. También se venden más medicamentos relacionados con la práctica del aborto; se tienen que contratar a más personal de enfermería y doctores. Las mujeres que abortaron y están afectadas consultan a los psicólogos, por lo que se incrementa la demanda de terapias. En suma: se crea una nueva industria, muy lucrativa.

Para darte un ejemplo de esto, te presentaré el caso de la asociación Planned Parenthood, la mayor promotora del aborto en Estados Unidos. Según sus cifras del 2011,[14] en ese año realizaron 333 964 abortos a jóvenes estadounidenses, y entre el año 2009 y 2011 han practicado casi un millón de abortos (995 687).[15] De los servicios médicos prestados en relación con el embarazo, 92 % fueron abortos, 7 % cuidados en el embarazo y 0.6 % orientación hacia la adopción, es decir, que por cada adopción que se logra, en Planned Parenthood se llevan a cabo 145 abortos. Y claro, esto les conviene pues el costo de practicarse un aborto en Estados Unidos es de 451 dólares[16] (más de 7 000 pesos); por lo que esta asociación recibió ingresos por practicar abortos en el año 2011 de 150 millones de dólares (2 100 millones de pesos). ¿No suena mal como negocio, verdad?

Esta realidad empieza a suceder en México. En la Ciudad de México (donde el aborto se legalizó en el año 2007), ha resultado un negocio "formidable". En clínicas privadas que se dedican a practicar abortos (también llamados abortorios), el costo varía entre 2 900 y 5 200 pesos.

Como podrás ver, legalizar el aborto significa promoverlo y propiciar su industria como negocio. En España, el aborto se legalizó en 1985, en ese año se llevaron a cabo 16 728 abortos; en el 2011, 118 359. Hoy, en España, uno de cada seis embarazos termina en aborto, y en toda Europa hay un aborto cada 27 segundos.

En 1968, en Reino Unido, se practicaron 23 641 abortos, y en el año 2004, fueron 194 197, es decir que desde su legalización ha aumentado más de 800 %. En Francia, de 1988 al 2006, se realizaron más de 1.2 millones de abortos mayores a siete semanas de gestación. En Estados Unidos, cada año uno de cada cuatro embarazos termina en aborto. En el año 2004, se llevaron a cabo 839 226 abortos en dicho país.

En México, el aborto se despenalizó el 25 de abril de 2007. Las cifras oficiales indican que en 2008 se hicieron 10 137 abortos, mientras que para 2011 ya eran 14 390. A siete años de su legalización, se han hecho más de 120 000 abortos tan sólo en clínicas del Gobierno de la Ciudad de México. ¿No crees que si el Gobierno se preocupara realmente por las mujeres, las apoyaría en casos de embarazo desesperado con ayuda económica, con atención adecuada en sus hospitales y clínicas, con capacitación y educación sobre el cuidado que debe tener un bebé, así como brindar oportunidades para estudiar a las madres con niños pequeños? ¿No crees que las mujeres con un embarazo inesperado nos merecemos más que un aborto?

Recuerda, una madre que recurre al aborto lo hace en medio de un drama personal, siempre es una decisión desgarradora y, la mayoría de las veces, impulsada por la angustia y el abandono. Más que un derecho, detrás del aborto se esconden la desesperación, el desamparo y la incomprensión de la sociedad, incluso de su familia, lo que hace sentir a la mujer incapaz para cuidar a su hijo.

NOTAS

1. Orner, P. J. et al., *Access to safe abortion: building choices for women living with HIV and AIDS*, núm. 14, J Int AIDS Soc., 2011 Nov 14, p. 54, doi: 10.1186/1758-2652-14-54.

2. Fergusson, D. M. *et al.*, *Abortion in young women and subsequent mental health*, vol. 47, núm. 1, J Child Psychol Psychiatry, 2006, pp. 16-24.
   • Cougle, J. R. *et al.*, "Generalized anxiety following unintended pregnancies resolved through childbirth and abortion: a cohort study of the 1995 National Survey of Family Growth", en *Journal of anxiety disorders*, vol. 19, núm. 1, 2005, pp. 137-142.
3. Coleman, P. K., *Abortion and mental health: quantitative synthesis and analysis of research published 1995-2009*, núm. 3, Br J Psychiatry, 2011 Sep, pp. 180-186.
4. Coleman, P. K., D. C., Reardon *et al.*, *Substance use among pregnant women in the context of previous reproductive loss and desire for current pregnancy*, núm. 10 (Pt 2), Br J Psychiatry, 2005 May, pp. 255-268.
   • Coleman, P. K., D. C., Reardon *et al.*, *A history of induced abortion in relation to substance use during subsequent pregnancies carried to term*, vol. 187, núm. 6, Am J Obstetrics and Gynecology. 2002 Dec, pp. 1673-1678.
5. Gladstone, J. *et al.*, *Characteristics of pregnant women who engage in binge alcohol consumption*, vol. 156, núm. 6, Can Med Assoc J, 1997, pp. 789-794.
   • Thomas, T. *et al.*, *Psychosocial characteristics of psychiatric inpatients with reproductive losses*, vol. 7, núm. 1, J Health Care Poor Underserved, 1996, pp. 15-23.
   • Reardon, D. C., *Maternal age and fetal loss. Missing abortion stratification adds to confusion*, vol. 322, núm. 7283, BMJ, 2001, pp. 429-430.
6. Reardon, D. C., P, Coleman, *Pregnancy-associated mortality after birth*, vol. 191, núm. 4, Am J Obstet Gynecol. 2004, pp. 1506-1507.
7. Reardon, D. C., P. K., Coleman, *Short and long term mortality rates associated with first pregnancy outcome: population register based study for Denmark 1980-2004*, vol. 18, núm. 9, Med Sci. Monit, 2012 Sep, pp. PH71-PH76.
8. Coleman, P. K. *et al.*, *Reproductive history patterns and long-term mortality rates: a Danish, population-based record linkage study*, Eur J Public Health, 2012 Sep 5.
9. Klemetti, R. *et al.*, *Birth outcomes after induced abortion: a nationwide register-based study of first births in Finland*, vol. 27, núm. 11, Hum Reprod, 2012 Nov, pp. 3315-3320.
   • Zhou, W. *et al.*, *Induced abortion and low birthweight in the following pregnancy*, vol. 29, núm. 1, Int J Epidemiol, 2000, pp. 100-106.
   • Swingle, H. M. *et al.*, *Abortion and the risk of subsequent preterm birth: a systematic review with meta-analyses*, vol. 54, núm. 2, J Reprod Med, 2009, pp. 95-108.

10. Shah, P. S., J., Zao, *Knowledge Synthesis Group of Determinants of preterm/LBW births. Induced termination of pregnancy and low birthweight and preterm birth: a systematic review and meta-analyses*, vol. 116, núm 11, BJOG, 2009 Oct, pp. 1425-1442.

11. Henriet, L., M., Kaminski, *Impact of induced abortions on subsequent pregnancy outcome: the 1995 French national perinatal survey*, vol. 108, núm. 10, BJOG, 2001, pp. 1036-1042.

    • Zhou, W. *et al.*, *Induced abortion and subsequent pregnancy duration*, vol. 94, núm. 6, Obstet Gynecol, 1999, pp. 948-953.

    • Moreau, C. *et al.*, Previous induced abortions and the risk of very preterm delivery: results of the EPIPAGE study, vol. 112, núm. 4, BJOG, 2005, pp. 430-437.

    • Ancel, P. Y. *et al.*, *History of induced abortion as a risk factor for preterm birth in European countries: results of the EUROPOP survey*, vol. 19, núm. 3, Hum Reprod, 2004, pp. 734-740.

12. Sun, Y. *et al.*, *Induced abortion and risk of subsequent miscarriage*, vol. 32, núm. 3, Int J Epidemiol, 2003, pp. 449-454.

13. Appleby, L., *Suicide during pregnancy and in the first postnatal year*, núm. 302, BMJ 1991, pp. 137-140.

    • Marzuk, P. M. *et al.*, *Lower risk of suicide during pregnancy*, núm. 154, Am J Psychiatry, 1997, pp. 122-123.

    • Ronsmans, C. *et al.*, *Evidence for a "healthy pregnant woman effect" in Niakhar, Senegal?*, vol. 30, núm. 3, Int J Epidemiol, 2001, pp. 467-473.

14. *Planned Parenthood 2011-2012 Annual Report*. Disponible en: <http://www.plannedparenthood.org/about-us/annual-report-4661.htm>.

15. According to annual reports, abortions performed by Planned Parenthood 332,278 in 2009; 329,445 in 2010; 333,964 in 2011.

16. Disponible en: <http://www.guttmacher.org/in-the-know/abortion-costs.html>.

RELACIÓN ENTRE ANTICONCEPTIVOS Y ABORTO

Capítulo 8

La promoción y el uso de anticonceptivos no disminuye los abortos. Esta afirmación puede parecer incongruente, pues siempre nos han dicho que para evitar los abortos hay que promover el uso de anticonceptivos. Esto es falso y te voy a dar algunos datos.

En el año 2012, el gobierno francés publicó un reporte,[1] el cual indica que en 2010 se efectuaron 212 000 abortos, provocados en su país. El 91 % de las mujeres a las que se les practicó un aborto, reportaron haber usado algún anticonceptivo durante su vida, y 66 % de las mujeres que recurrieron al aborto estaban usando en ese momento un anticonceptivo.

Asimismo, un estudio comparativo de 2012 en la revista Plos One[2] presenta el caso de Rusia, Bielorrusia y Ucrania. En estos tres países el aborto es legal. Sin embargo, al comparar las cifras individuales de estos tres países, el aborto es mucho mayor en Rusia (31.9 por cada 1 000 mujeres), que en Ucrania (15.1) y Bielorrusia (13.5); asimismo, el uso de anticonceptivos también es mayor en Rusia (77 % de las mujeres), contra 74 % en Bielorrusia y 68 % en Ucrania.

Estos informes nos indican que a mayor uso de anticonceptivos, mayor es el porcentaje de abortos, y esto se debe a que la promoción del sexo fuera de un contexto de amor y fidelidad, es decir, "el sexo basura", lleva a tener más parejas sexuales, por lo que habrán más embarazos inesperados, menor compromiso de parte del hombre con la mujer y, por tanto, mayor cantidad de abortos.

¿No crees que cuando una relación sexual es sólo por placer y se usa un anticonceptivo para evitar un embarazo, existe una visión contraria a la vida o "antivida", por lo que se recurre al aborto? Cuando hay amor y compromiso dentro de una relación sexual –aunque en ese momento no se esté buscando tener un hijo– si éste llega, se le recibe con los brazos abiertos. Cuando hay amor, ¿cómo pensar en quitarle la vida al "fruto" de ese amor?

¿Cuál es la relación entre anticoncepción y aborto? El uso de anticonceptivos (es decir, el rechazo total a la maternidad y paternidad dentro del sexo) hace ver al embarazo como un accidente y no como la consecuencia natural de las relaciones sexuales, cuando la mujer se encuentra en periodo fértil. Es por eso que el aborto se ha convertido en una "solución" para terminar con los embarazos inesperados. Por eso, es lógico que en aquellos países donde se promueve el sexo basura y la anticoncepción masiva existan grupos que buscan legalizar el aborto.

Por mencionar la relación de la anticoncepción y el aborto, podemos hablar de Margaret Sanger, activista a favor de la planificación familiar y fundadora, en 1921, de la Liga Americana para el Control de la Natalidad (American Birth Control League), la cual se convirtió en 1942 en la Federación Americana para la Planificación Familiar o Planned Parenthood Federation of America, una de las instituciones promotoras del aborto más importantes a nivel mundial. Margaret Sanger mostraba desprecio por los afroamericanos, los enfermos y los débiles. En el capítulo V de su libro "La mujer y la nueva raza" (1920), Sanger escribió: "Lo más misericordioso que una familia grande puede hacer por uno de sus miembros más pequeños es matarlo".

Asimismo, el racismo de esta mujer ha permeado en la organización de la cual fue precursora, pues informes de Planned Parenhood indican que "78 % de sus clínicas están en comunidades minoritarias", es decir, donde habitan personas de raza negra, hispana y oriental, y que "aunque los afroamericanos constituyen 12 % de la población estadounidense, en ellos se llevan a cabo 35 % de los abortos en Estados Unidos".

El sexo basura o *junk sex* (del que ya hemos hablado en el capítulo 2) es un gran negocio. Te diré la razón. Las asociaciones que impulsan el *junk sex* promueven el inicio de las relaciones sexuales en la adolescencia y, con esto, la promiscuidad, pues es altamente probable que las personas que empiezan a tener relaciones sexuales en la adolescencia a temprana edad tengan más parejas sexuales a lo largo de su vida. La distribución de condones gratuitos y anticonceptivos hormonales que hacen los gobiernos de todo el mundo (pero que se compran a la industria farmacéutica con nuestros impuestos) es una provocación para que los adolescentes "caigan" en el *junk sex*. Sin embargo, como ya vimos, ni los anticonceptivos hormonales ni el condón son 100% seguros para prevenir una infección sexual ni embarazos. Mientras más parejas sexuales tengas, mayor es el riesgo de contagio de una infección sexual o de un embarazo inesperado. Además, te convertirás en una consumidora de anticonceptivos y pruebas de embarazo, haciendo más grande el negocio de esta industria farmacéutica.

Entonces, ¿qué pasa si después de usar condón o anticonceptivos te embarazas (que es probable que ocurrirá con el tiempo)? ¿Buscarás un aborto? Y aquí es donde termina el ciclo, pues pagarás por él una buena cantidad de dinero; morirá tu hijo y seguramente lo lamentarás toda tu vida. ¿Esto es lo que quieres para tu vida, para tu futuro? Pregúntate: ¿Qué te deja el sexo basura?

Recuerda, la vida de toda persona humana, sin importar el sexo, raza, creencias o edad gestacional tiene el mismo valor. En nuestro tiempo, la ciencia y la tecnología han dado suficientes pruebas para afirmar que las mujeres sólo pueden concebir personas, y que desde la fecundación se inicia el desarrollo continuo de nuestra vida, en la que tendremos varias etapas. Primero, seremos un cigoto; luego, embrión, feto, bebé, niño, adolescente, joven, adulto y anciano. Por lo que negar que en alguna de estas etapas seamos una persona es algo irracional y anticientífico.

NOTAS

1. Disponible en: <http://www.drees.sante.gouv.fr/les-interruptions-volontaires-de-grossesse-en-2010,10978.html>.
2. Denisov, B. P., V. I., Sakevich *et al.*, *Divergent trends in abortion and birth control practices in belarus*, vol. 7, núm. 11):e49986, PLoS One, Russia and Ukraine, 2012.

OTROS RIESGOS DEL *JUNK SEX*

Capítulo 9

ᏢᏆᎯᏆᎯᏆᎯᏆᎯᏆᎯᏆᎯᏆᎯᏆᎯ

Caso 5. Mónica es una chica de 25 años que le contó a *Sexo Seguro, A. C.*, su historia. Aquí te la presentamos:

Hola. Soy Mónica. Tengo 25 años. Escribo esto porque quiero compartirles mi historia para ayudar a otras chicas. Cuando una es joven, muchas veces no sabe cómo reaccionar ante las cosas; no queremos oír a nuestros papás ni a la gente que puede aconsejarnos, y eso me ocurrió a mí. A los 15 años, conocí a Arturo, un chavo que tenía cinco años más que yo, ya había terminado la prepa y trabajaba. Me deslumbré con él, pues para mí era el más guapo de todos los hombres; además, era súper buena onda y se había fijado en mí. Empezamos a salir, y a las dos semanas nos hicimos novios. Él fue el primero en mi vida.

Mis papás no me dejaban salir con él de noche, y él sólo podía visitarme en la casa. Después de cuatro meses de noviazgo, una tarde que mis papás no estaban empezamos a besarnos y a tocarnos. Sin contar mucho más, después de esa ocasión, a las tres semanas ya estábamos teniendo relaciones sexuales. Él ya había tenido algunas parejas, nunca me dijo cuántas, pero creo que habrán sido más de tres. Creía que estaba feliz por haber tenido sexo con él, pues para mí era la demostración de mi amor por él; pero la alegría no duró mucho. Él esperaba más de mí, quería que saliera con él en la noche y yo no tenía permiso, así que a los seis meses de novio decidió terminar conmigo.

Me sentía morir. Le había entregado todo, y él había terminado la relación. Recuerdo que ese verano empecé a fumar, me sentía tan usada, tan triste, que una amiga me compró unos cigarros. Salíamos a caminar y yo fumaba para sentirme más tranquila. Entré a la prepa. Mis pensamientos por Arturo seguían. Fue muy triste para mí cuando me enteré que ya estaba saliendo con una chica del último trimestre que tenía 18 años y era más guapa que yo. ¡Algo se rompió en mí! Y pasé así seis meses más, hasta que empecé a salir con Rubén. Él tenía 17 años, iba en la prepa; todos lo conocían porque vendía "churros", es decir, droga. Parecía un chico amable y –como me sentía triste y usada por Arturo–, pues empezamos a salir. Él me dijo que no quería nada serio, que sólo podríamos ser amigos con derecho. Yo le dije que sí.

Empezó a pasar el tiempo, a los cinco meses de salir tuvimos relaciones sexuales. Ese amor que "supuestamente" tenía por Arturo, ya no lo volví a sentir. Me sentía tranquila y me gustaba que alguien quisiera estar cerca de mí. Poco a poco me empecé a enamorar. Un día, al escaparme de casa de mis papás para ir a una fiesta, me ofreció fumar mariguana en vez de cigarrillo. Al principio, le dije que no, pero me animé y la probé.

Siguió pasando el tiempo. Salíamos. Me pidió que fuéramos novios; le dije que sí. Al paso del tiempo, ya llevábamos dos años juntos, yo ya era usuaria de mariguana y de cocaína ocasionalmente. Cumplí 18 años. Terminé la prepa, pero mis pasadas ilusiones de estudiar la universidad se quedaron atrás.

Rubén me dijo que nos fuéramos a vivir juntos, y así lo hice. Me fui de casa de mis papás, pues ya era mayor de edad; empecé mi vida con él. Poco a poco, me envolvió el mundo de las drogas; aunque no me dedicaba a la venta, vivía con alguien que sí. Entré a trabajar de mesera en un café; aunque ganaba poco, me sentía tranquila de que fuera algo honesto. Pero todo cambió cuando a los 20 años me quedé embarazada porque falló el DIU. Rubén me dijo que me quería, pero que él no estaba listo para ser padre, que lo mejor que podría hacer era abortar, pero me rehusé. Así que después de muchas lágrimas, lo dejé y regresé a casa de mis papás. Ellos me apoyaron, me abrieron las puertas, y tuve a mi bebé.

Gracias a esto mi vida cambió. Dejé las drogas y tuve que hacerme responsable. Mi niña tiene ya cinco años y es mi alegría en la vida. Me siento triste cuando veo que no pude darle una familia como la que yo tuve. No quería ser madre soltera, pues mi hija no va a tener el cariño de su papá; pero no supe hacer las cosas mejor.

Pude estudiar una carrera técnica. Ahora tengo un mejor trabajo, aunque sé que siempre seré una drogadicta en rehabilitación.

Me doy cuenta de que todo lo que he vivido fue una consecuencia de haberme sentido usada por aquel primer novio que tuve llamado Arturo, a quien le entregué todo y me usó; del mismo modo que después fue con Rubén. Tal vez, si no hubiera tenido relaciones sexuales con él a los 16 años, mi vida sería diferente; pero en este momento, sólo me queda perdonarme y sacar adelante a mi amada hija. Espero que mi historia les sirva de algo. ¡Recuerden que sus padres son su mayor apoyo!

El sexo no es cualquier cosa, es un regalo; es el tesoro para regalar a la persona que amas y que te ame, cuando exista fidelidad y un compromiso para toda la vida. Pero, ¿qué pasa cuando las mujeres lo entregan sin un compromiso para toda la vida? Piensa por un momento, ¿cómo te sentirías tú, si tuvieras relaciones sexuales con el chico que crees amar, que crees que él te ama y, al poco tiempo, termina la relación, te lastima, te habla mal, deja de hacerte caso, y le cuenta a sus amigos todo lo que pasó entre ustedes?, ¿cómo crees que esto te afectaría?

Como ya hemos visto en capítulos anteriores, los adolescentes que tienen relaciones sexuales en esta etapa siempre van a tener más parejas sexuales en toda su vida;[1] esto los pone en mayor riesgo de contagiarse de una infección sexual[2] y de embarazarse.[3] También, como el sexo está hecho para unirte, una siempre se queda anclada al recuerdo de algún chico con el que se haya tenido relaciones sexuales.

Las relaciones sexuales en la adolescencia son un asunto muy sensible; pueden tener consecuencias médicas y psicológicas a corto y largo plazos. Existen datos científicos que indican que aquellos adolescentes que inician relaciones sexuales tienen más riesgo de:

- Consumo de drogas, alcohol y tabaco.[4]
- Agresividad y pobre bienestar psicosocial.[5]
- Aumento de alteraciones mentales,[6] y problemas de conducta.[7]
- Relación débil con instituciones convencionales, como la escuela, la familia y los grupos religiosos.[8]
- Iniciar con conductas delictivas.[9]

- Tener relaciones sexuales de riesgo.[10]
- Tener sexo con sexoservidoras.[11]
- Tener menor asistencia a la escuela y poco compromiso hacia ella.[12]
- Tener menos posibilidades de graduarse de la preparatoria o de acudir a la universidad.[13]

Estas consecuencias son mayores en los adolescentes que se inician en las relaciones sexuales antes de los 16 años.[14]

Otros datos científicos indican que el comienzo de las relaciones sexuales en la adolescencia, en mujeres se relaciona con:

- Consumo de alcohol repetidamente.[15]
- Fumar diariamente.
- Uso de marihuana.
- Apreciación negativa de la vida.[16]

Los jóvenes que tienen vida sexual reportan de 50 a 100% más consumo de tabaco, que aquellos que no han iniciado la vida sexual, y de manera casi similar para el consumo de alcohol y marihuana.[17]

Seguramente habrás escuchado las siguientes frases: **"Lo que no fue en tu año, no fue en tu daño"** o **"Lo que sucede en las Vegas, se queda en las Vegas".** Ambas frases se refieren a que aquello que uno hace en su pasado, especialmente en relación con la sexualidad y las relaciones sentimentales con otras personas no afecta en el futuro. Debes saber que **ambos dichos son falsos.** Lo que haces en el pasado, así como cualquier tipo de relación sentimental o haber tenido relaciones sexuales, sí afectarán tu futuro. Un reciente estudio de la Universidad de Virginia en Estados Unidos,[18] demuestra lo siguiente:

- A la gente sí le importa el pasado. Los fantasmas de una relación anterior pueden afectar el matrimonio. Aquellas personas que tuvieron relaciones sexuales o que vivieron con otra persona antes de casarse tienen menos posibilidades de tener buenos matrimonios, que aquellas personas que no vivieron así su pasado.

- Tener hijos de **relaciones previas a la persona con la que te casas, sí es una causa que afecta al matrimonio**. Aquellas personas que tuvieron hijos con otras personas antes de casarse, tienen menos posibilidades de tener buenos matrimonios.

- Las parejas que se "dejan llevar" por medio de una relación, en lugar de tomar decisiones, tienen menos posibilidad de tener buenos matrimonios. Muchas personas se dejan llevar, conocen a un chico, les gusta, tienen relaciones sexuales con él, luego se van a vivir juntos, tienen hijos, y después de esto se casan (si es que se casan). Este tipo de decisiones no les permite elegir, por lo que esto los afectará dentro del matrimonio. Recuerda que el amor es una elección; para esto debe conocerse a la persona. La mejor forma para conocer a otros es hablando, platicando y siendo objetivo.

Estas son algunas de las consecuencias negativas que tiene el iniciar las relaciones sexuales en la adolescencia y en la juventud. ¡Cómo no va a ser así, si la sexualidad no es un juego! ¡No es algo que usas y desechas! Eres tú, es tu integridad, tu persona; es entregar tu intimidad, tu cuerpo, tus pensamientos, tu vida a alguien más. ¡TEN CUIDADO, EL JUNK SEX SÍ PUEDE AFECTARTE!

NOTAS

1. Genuis, S. J., S. K., Genuis, *Adolescent behaviour should be priority*, núm. 328, BMJ, 2004, p. 894.
   - Greenberg, J., L., Magder L. *et al., Age at first coitus. A marker for risky sexual behavior in woman*, núm. 19, Sex Transm Dis, 1992, pp. 331-334.
   - Sandfort, T. G. *et al., Long-Term Health Correlates of Timing of Sexual Debut: Results From a National US Study*, núm. 98, Am J Public Health, 2008, pp. 155-161.
2. Kaestle, C. E. *et al., Young age at first sexual intercourse and sexually transmitted infections in adolescents and young adults*, núm. 161, Am J Epidemiol, 2005, pp. 774-780.
3. Magnusson, C., K., Trost, *Girls experiencing sexual intercourse early: could it play a part in reproductive health in middle adulthood?*, vol. 27, núm. 4, J Psychosom Obstet Gynaecol, 2006, pp. 237-244.

- Deardorff, J. *et al.*, *Early puberty and adolescent pregnancy: the influence of alcohol use. Pediatrics*, vol. 116, núm. 6, 2005, pp. 1451-1456.
- Waldron, M. *et al.*, *Age at first sexual intercourse and teenage pregnancy in Australian female twins*, vol. 10, núm. 3, Twin Res Hum Genet, 2007, pp. 440-449.
- Godeau, E. *et al.*, *Factors associated with early sexual initiation in girls: French data from the international survey Health Behaviour in School-aged Children (HBSC)/WHO*, vol. 36, núm. 2, Gynecol Obstet Fertil, 2008, pp. 176-182.

4. Connell, C. M. *et al.*, *A multiprocess latent class analysis of the co-occurrence of substance use and sexual risk behavior among adolescents*, vol. 70, núm. 6, J Stud Alcohol Drugs, 2009, pp. 943-951.
   - Jackson, C. *et al.*, *Clustering of substance use and sexual risk behaviour in adolescence: analysis of two cohort studies*, BMJ Open, 2012, 8:2:e000661.
   - Lavikainen, H. M. *et al.*, *Sexual behavior and drinking style among teenagers: a population-based study in Finland*, vol. 24, núm. 2, Health Promot Int, 2009, pp. 108-119.
   - Henderson, M. *et al.*, *What explains between-school differences in rates of sexual*.
   - Woynarowska, B., I., Tabak, *Risk factors of early sexual initiation*, vol. 12, núm. 2, Med Wieku Rozwoj, pp. 541-547.
5. Kuzman, M. *et al.*, *Early sexual intercourse and risk factors in Croatian adolescents*, vol. 31, núm. 2, Coll Antropol, 2007, pp. 121-130.
6. Hallfors, D. D. *et al.*, *Adolescent depression and suicide risk: association with sex and drug behavior*, vol. 27, núm. 3, Am J Prev Med, 2004, pp. 224-231.
7. Madkour, A. S. *et al.*, *Early adolescent sexual initiation as a problem behavior: a comparative study of five nations*, vol. 47, núm. 4, J Adolesc Health, 2010, pp. 389-398.
8. Ream, G. L., *Reciprocal effects between the perceived environment and heterosexual intercourse among adolescents*, vol. 35, núm. 5, J Youth Adolesc, 2006, pp. 771-785.
9. Martín, M. J., *Violencia juvenil exogrupal, hacia la construcción de un modelo causal. Madrid: Ministerio de educación y ciencia*, España, 2005, pp. 33-34.
   - Kuzman, M. *et al.*, *Early sexual intercourse and risk factors in Croatian adolescents. Coll Antropol*, vol. 31, núm. 2, 2007, pp. 121-130.
10. Brook, D. *et al.*, *Drug use and the risk of major depressive disorder, alcohol dependence, and substance use disorders*, vol. 59, núm. 11, Archives of General Psychiatry, 2002, pp. 1039-1044.

• Stanton, B. *et al.*, *Early initiation of sex, drug-related risk behaviors, and sensation-seeking among urban, low-income African-American adolescents*, vol. 93, núm. 4, Journal of the National Medical Association, 2001, pp. 129-138.

11. Buttmann, N. *et al.*, *Sexual risk taking behaviour: prevalence and associated factors. A population-based study of 22,000 Danish men*, núm. 11, BMC Public Health, 2011, p. 764.

    • Pechansky, F. *et al.*, *Age of Sexual Initiation, Psychiatric Symptoms, and Sexual Risk Behavior among Ecstasy and LSD Users in Porto Alegre, Brazil: A Preliminary Analysis*, vol. 41, núm. 2, J Drug Issues, 2011, p. 217.

12. Kirby, D., *Antecedents of adolescent initiation of sex, contraceptive use, and pregnancy*, núm. 26, Am Journal of Health Behavior, 2002, pp. 473-485.

13. Frisco, M. L., *Adolescents' sexual behavior and academic attainment*, núm. 81, Sociology of Education, 2008, pp. 284-311.

    • Spriggs, A. L., C. T., Halpern, *Timing of sexual debut and initiation of postsecondary education by early adulthood*, núm. 40, Perspectives on Sexual and Reproductive Health, 2008, pp. 152-161.

    • Harden, K. P., J., Mendle, *Why don't smart teens have sex? A behavioral genetic approach*, vol. 82, núm. 4, Child Dev, 2011, pp. 1327-1344.

14. Spriggs, A. L., C. T., Halpern, *Sexual debut timing and depressive symptoms in emerging adulthood*, vol. 37, núm. 9, Journal of Youth and Adolescence, 2008, pp. 1085-1096.

    • Meier, A. M., *Adolescent first sex and subsequent mental health*, vol. 112, núm. 6, American Journal of Sociology, 2007, pp. 1811-1847.

15. Buttmann, N. *et al.*, *Sexual risk taking behaviour: prevalence and associated factors. A population-based study of 22,000 Danish men*, vol. 5, núm. 11, BMC Public Health, 2011, p. 764.

16. Godeau, E. *et al.*, *Factors associated with early sexual initiation in girls: French data from the international survey Health Behaviour in School-aged Children (HBSC)/WHO*, vol. 36, núm. 2, Gynecol Obstet Fertil, 2008, pp. 176-182.

17. Gutierrez, J. P. *et al.*, *Risk behaviors of 15–21 year olds in Mexico lead to a high prevalence of sexually transmitted infections: results of a survey in disadvantaged urban areas*, núm. 6, BMC Public Health, 2006, p. 49.

18. Rhoades, G. K., S. M., Stanley, *The National Marriage Project at the University of Virginia. Before "I Do" What Do Premarital Experiences Have to Do with Marital Quality Among Today's Young Adults?*, University of Virginia, 2014.

¿Y SI ME NUBLA LA VISTA?

Capítulo 10

Caso 6. María José tiene 24 años. Estudia en una universidad técnica. Trabaja y vive con su mamá. Su novio se llama Víctor; él tiene 27 años, y trabaja. Hace dos años iniciaron una relación. Cuando llevaban ocho meses de novios, Víctor le propuso tener relaciones sexuales, pero María José no estaba muy segura, pues ella era de la idea de solamente tener relaciones sexuales con un chico en su vida. Después de pensarlo algunos días, aceptó porque estaba segura de que su relación con Víctor era algo serio y tenía futuro.

Posteriormente, María José se enteró de una infidelidad de Víctor, por lo que escribió a *Sexo Seguro* lo siguiente:

> ¡Hola! Estoy muy preocupada. Les escribo porque mi pareja me confesó que hace un mes, estando de parranda, supuestamente conoció a una chica, y tuvo sexo con ella. Lo peor es que él no me lo dijo en ese momento. No sé qué hacer. Y si se contagió de algo, ¿cómo volver a creer en él?

El médico especialista de *Sexo Seguro* le recomendó acudir con el médico para que la examinara. Le dio algunos consejos para cuidar su salud. Días después, María José escribió nuevamente:

> Hola. Ya acudí al médico. Me mandó a hacer algunos exámenes. Hasta ahora parece que estoy sana. Sobre mi novio, me doy

cuenta de que él no tiene los valores que yo estoy buscando, pero no sé cómo terminar la relación, pues ya tuve relaciones sexuales con él. Pensé que era algo serio, que me iba a casar con él. Me siento usada, ¡pero no sé qué hacer!

Sexo Seguro la animó y la aconsejó sobre la importancia que tiene el saber elegir a una persona a partir del respeto que exista entre ambos y por sus valores.

María José escribió nuevamente un mes después:

Hola. Quiero escribirles porque acabo de terminar con mi novio. Me di cuenta de que él no está arrepentido de haberme sido infiel. Aunque estoy triste, ahora me siento más libre. Quiero guardarme para la persona especial que llegue, con quien sí comparta mis valores y pueda casarme. Muchas gracias por sus consejos.

Como hemos platicado ya en capítulos anteriores, las relaciones sexuales tienen dos objetivos principales. El primero es unir al hombre y a la mujer, pues es la forma más íntima de demostración de amor. El segundo objetivo es ser fecundos, crecer como personas, crecer en el amor, y como consecuencia de este amor esperar la llegada de un hijo. El sexo está hecho para amar, para unir y para dar vida.

¿Sabías que fisiológicamente la mujer se apega al hombre cuando tiene relaciones sexuales? Es decir, que el cuerpo de la mujer produce una hormona llamada oxitocina (la misma hormona que la mujer secreta durante el parto y la lactancia, para generar apego y cariño hacia su bebé) que ocasiona un apego de la mujer al hombre, es decir, que el sexo sirve para engancharte a la persona con la que estás.

Pero, ¿qué pasa cuando uno tiene relaciones sexuales antes de que exista compromiso y fidelidad para toda la vida? Las mujeres generan un lazo de unión muy poderoso con los hombres con quienes tienen relaciones sexuales. Por tanto, pierden objetividad y claridad para confirmar que la otra persona es quien se debe elegir, para estar sólo con él, nada más con él, así como para compartir toda la vida y formar una familia.

Cuando ya hay sexo de por medio, uno se "engancha", se pierden oportunidades para conocerse, para convivir con ambas familias, para ver cómo te trata frente a sus amigos y confirmar si realmente te da el lugar de respeto que mereces, así como para saber si comparten valores, y si sus proyectos de vida son compatibles. Es decir, las relaciones sexuales sin un compromiso definitivo de por medio vuelven subjetiva la relación.

En los noviazgos en los que hay relaciones sexuales, todo empieza a girar en torno al sexo. Por lo general, las mujeres nos volvemos inseguras, dependientes, perdemos la confianza y la libertad. Estamos preocupadas al pensar en un embarazo (aunque hayas usado un anticonceptivo) y todo esto sólo quita oportunidades para darte cuenta si tu novio vale la pena o no. **¿Sabías que más de 99% de los noviazgos en la adolescencia no llegan a matrimonio?** Es decir, que sólo tienes 1% de posibilidades de que tu novio de la secundaria o prepa sea algún día tu esposo. Entonces, ¿cómo te sentirías si tienes relaciones sexuales con alguien con quien no vas a llegar a nada serio?

En especial, las mujeres que tienen relaciones sexuales en el noviazgo o en otro tipo de relaciones que no sean dentro del matrimonio se vuelven mucho más tolerantes a ciertas actitudes negativas que pudiera tener el hombre hacia ellas. Se sienten unidas a él, pero sin la seguridad de que esa relación sea para toda la vida. Siempre está presente el temor de que la relación pueda terminar, de que puedan sentirse usadas y abandonadas. Por lo que, las mujeres tienden a sentirse inseguras y nerviosas todo el tiempo. Esto afecta su rendimiento escolar, laboral, la relación con sus padres, amigos y, claro, con el novio.

Las heridas más profundas son aquellas que nos dejan cuando juegan con nuestra sexualidad, pues el sexo no es únicamente un acto, es entregar el cuerpo y el espíritu, es unirte con la otra persona: uno desnuda el cuerpo y el alma. Imagínate por un momento que después de vivir esto con tu novio o el chico que te gusta, él le contara estas experiencias a sus amigos para lucirse, para demostrarles "que es muy hombre" o simplemente por ocio, como una anécdota, ¿cómo te sentirías? Piensa que unos meses después de haberle entregado todo, esa relación termina, ¿no te sentirías usada, lastimada?

Recuerda que el amor no es solamente un sentimiento, no es sentir mariposas en el estómago, la ilusión que vives cuando tu novio te llama o salen juntos; o la idea que tienes de estar juntos para toda la vida; eso es únicamente el "enamoramiento". El amor es una decisión: es elegir de quién te enamorarás porque te atrae físicamente, por sus valores, por cómo te trata, porque te respeta, porque pueden platicarse todo, por cómo te da tu lugar frente a su familia y amigos, porque es honesto y fiel, porque comparten un proyecto de vida.

El sexo es como el fuego, cuando está dentro de una chimenea llamada matrimonio calienta, ilumina, llena de luz a los esposos y refleja amor hacia los hijos; pero cuando se vive fuera del matrimonio, es como un fuego fuera de control, con un alto riesgo de que sólo queme y lastime.

Tú decides si le abres tu corazón a alguien o no; pero si hay relaciones sexuales antes de haberse elegido y casado, puedes equivocarte en la elección, y eso puede tener consecuencias negativas para ti y tu futuro.

¿QUÉ ES EN REALIDAD EL SEXO SEGURO Y CÓMO PUEDE VIVIRSE?

Capítulo 11

El **sexo seguro** es aquel que sirve para amar; es el sexo que se vive donde existe compromiso y fidelidad para toda la vida. El sexo seguro nos permite crecer en un amor que no juzga, que no pone límites en la entrega, que te hace sentir viva, segura y te llena de felicidad. El sexo seguro se vive cuando en la relación sexual se acepta el uno al otro de manera íntegra y completa: se acepta el cuerpo, la mente, el espíritu, sus defectos y virtudes, así como su historia de vida, y se busca crecer juntos en la propia sexualidad.

El sexo seguro nos permite vivir el amor pleno, donde hombre y mujer se entregan sin reservas. Es aquél donde el placer se vive como la consecuencia del amor, por lo que tanto el hombre como la mujer disfrutan de la sexualidad. El sexo seguro es aquel que se vive cuando estás seguro de la fidelidad, exclusividad y compromiso que se hace para toda la vida; cuando se sabe que despertarás con la persona amada cada día de tu vida.

El sexo seguro es cuando la mujer no tiene que arriesgar su cuerpo para vivir la sexualidad al utilizar anticonceptivos o tomar decisiones que dañen su salud física, emocional o espiritual. Es cuando puede vivir la sexualidad de forma plena porque comprende sus ciclos de fertilidad. De esa forma, junto con el hombre pueden planear la llegada de sus hijos. El sexo seguro es aquél donde no existe riesgo de contagio de ninguna infección sexual;

el sexo seguro mira la llegada de los hijos como un gran regalo, cuya responsabilidad será compartida entre hombre y mujer.

La decisión libre sobre la espera de las relaciones sexuales hasta el matrimonio es una decisión que dignifica a la mujer, al hombre, y en la que ambos se protegen. La verdadera felicidad del hombre y la mujer que buscan formar una familia se encuentra en la entrega total y exclusiva de amor dentro del matrimonio, lo cual dignifica y favorece el desarrollo integral de sus hijos y de un entorno familiar de valores.

Aprende a decir que NO. Recuerda que SÍ se vale decir NO. Tú tienes la capacidad de ejercer tu libertad, que siempre con inteligencia y voluntad te hará tomar las mejores decisiones. Decir **NO** al sexo antes de casarse te dignifica, dignifica al otro y te protege de forma 100% segura contra una ITS o un embarazo antes de tiempo, pero sobre todo protege tu corazón, tu mente y tu espíritu de posibles decepciones amorosas y desengaños. También te permitirá elegir de forma certera al hombre con quien compartirás tu vida y formarás una familia.

¿Y qué pasa con la unión libre? ¿Se puede vivir el sexo seguro aunque no estemos casados?

Caso 7. Sara tiene 18 años. Terminó la prepa; ya no entró a estudiar la carrera, Su novio se llama Anuar; tiene 21 años, y trabaja. Él tampoco estudió ninguna carrera, pero sí terminó la preparatoria. Hace un año, iniciaron un noviazgo. Sara había tenido ya relaciones sexuales con otros cuatro chicos. Era muy insegura, y trataba de retener a los hombres teniendo relaciones sexuales. Cuando llevaban tres meses de novios, Anuar le propuso que se fueran a vivir juntos. Ella aceptó. Esperó a ser mayor de edad para dejar la casa de sus papás. Su familia no estuvo de acuerdo en que se fueran a vivir juntos, pero al ser mayor de edad, ella optó por irse a vivir con él.

Después de 6 meses de vivir juntos, Sara escribió a *Sexo Seguro* lo siguiente:

> Hola. Les escribo porque me siento muy mal. Llevo viviendo seis meses con mi pareja, pero voy a dejarlo. Discutimos por todo, me grita todo el tiempo. Yo pensé que me iría bien con él, pero nos hemos lastimado mucho.

El médico especialista de *Sexo Seguro* le recomendó que estuviera tranquila y que tratara de entender por qué había llegado a vivir todo esto. También le recomendó –debido a que había tenido varias parejas sexuales– que acudiera con el médico para que la examinara; también, le dio algunos consejos para cuidar su salud. Semanas después, Sara escribió nuevamente:

> Hola. Ya acudí al médico. Me mandó a hacer algunas pruebas, pues parece que tengo una infección sexual. También dejé a mi pareja. Regresé a la casa de mis papás. Me siento triste, pues lo extraño, pero no quiero volver a vivir esto. No quiero más violencia en mi vida.

Sexo Seguro la animó y la aconsejó seguir al pie de la letra las indicaciones del médico y, sobre todo, a aprender a escucharse y a quererse. Después de algunos meses, Sara volvió a escribirnos.

> Hola amigos. Les escribo para contarles que el médico me dijo hace algunas semanas que tengo la infección por el papiloma humano. Me sentí muy triste, aunque ya estoy mejor. El médico me alertó que debo ser muy cuidadosa, pues podría desarrollar cáncer en unos años si no sigo las indicaciones.
>
> Al principio traté de culpar a todos por lo que me había pasado; pero me doy cuenta de que también soy culpable. Yo decidí involucrarme con varios hombres que sólo me usaron. Luego, irme a vivir con Anuar. No escuché a mi familia. Lo bueno es que mis papás han decidido apoyarme, por lo que voy a regresar a estudiar; así podré hacer la carrera de maestra que siempre quise. Me quedaré en casa con mi familia. Gracias por escucharme y por todos sus consejos.

La familia es la institución más importante para los mexicanos,[1] pero actualmente nuestra sociedad está experimentando muchos cambios con respecto a la familia. Hasta hace algunos años, la mayoría de las familias estaban conformadas por papá y mamá, casados, que cuidaban a sus hijos. Hoy esto ha cambiado. Cada vez más gente joven decide "juntarse" sin casarse. También se encuentran en aumento las madres solteras y mujeres que –por falta de compromiso del hombre– mantienen solas a su hogar. Ellas asumen el papel de madres y padres para dar lo mejor a sus hijos. Son mujeres trabajadoras y esforzadas que quieren lo mejor para su familia.

La unión libre es la convivencia de dos personas que viven bajo el mismo techo como si fueran esposos. Tú y yo conocemos a mucha gente que ya vive así. Son parejas que viven en unión libre, con el argumento de que el matrimonio es sólo un papel que ellos no necesitan, y que al fin y al cabo es lo mismo. ¿Será que tienen miedo de asumir un compromiso con responsabilidad? ¿Será que tienen miedo de entregar definitivamente el corazón?

Pero, ¿por qué la gente vive en unión libre?

1. *Embarazo prematuro.* Puede ser un embarazo a temprana edad y, como no están seguros de su amor, no quieren comprometerse. Sólo se van a vivir juntos y piensan que se casarán más adelante, pero en la mayoría de los casos, nunca se casan y esas relaciones terminan.

2. *Primero probamos, después vemos.* En el "matrimonio a prueba", primero **valoran** cómo se llevan, para **supuestamente "estar seguros"** si: ¿Somos sexualmente compatibles? Si funciona, entonces se casan; pero ese "entonces" nunca llega. La mejor garantía para ser compatibles social y sexualmente es el amor que existe entre ambos, y cómo se demuestra al casarse. Recuerda que si existe amor, compromiso y fidelidad, uno es compatible en todos los aspectos.

3. *Déjalo para después.* Es cuando se dejan las cosas para mañana. Aunque existe la voluntad de casarse, no se puede en ese momento, ya sea por el lugar donde viven, porque no hay dinero para la fiesta de bodas, o porque es tradición familiar robarse a la novia, y mientras se las arreglan como pueden. En muchas de esas ocasiones, el matrimonio nunca llega.

4. *El amor no es eterno.* Porque únicamente quieren vivir juntos, sin responsabilidades ni compromisos. Cuando ya no se sientan a gusto, se va cada quien por su lado.

5. *Impedimento legal.* Cuando legalmente uno de ellos está casado, entonces se van a vivir con su nueva pareja.

En el fondo, la unión libre destruye lo que debe ser una verdadera familia, pues la pareja no quiere establecerla legalmente, ni religiosamente, si es el caso. La fidelidad se pone en peligro porque, al no estar casados, cualquier dificultad puede hacer que la pareja se separe, afectando mucho a los hijos. Esta situación sin compromiso para toda la vida hace que la pareja se vuelva cada día más egoísta, pues no quieren comprometerse valiente ni generosamente. Cada uno busca su propio provecho, sin pensar en el bien de sus hijos ni en el del otro.

La unión libre también lastima la fecundidad. Al ser una "unión a prueba", se evita tener hijos y, en caso de que sí tengan hijos, será difícil trasmitir los valores que los padres casados trasmiten a sus hijos; pues la unión libre se origina por el egoísmo, por ese deseo del placer sin responsabilidad. Si realmente hay amor, ¿por qué no se casan?

Es importante hacernos la siguiente pregunta: ¿Cualquier unión, sin ser matrimonio, es buena para sus integrantes? El doctor Fernando Pliego, investigador de la Universidad Nacional Autónoma de México, publicó al respecto un estudio de 13 países, desde 1995 hasta la fecha.[2] Este extenso análisis concluye que en las familias donde los hijos viven con sus dos padres biológicos y casados, los hijos viven con 84% mayor bienestar, 78.9% mayor nivel educativo, 87.3% mayor seguridad física, 72.4% mayor relación entre padres e hijos, 87.7% mejor funcionamiento de la pareja, 94.8% mejor salud sexual, 76.3% mejor salud mental, 65.9% mejor salud física, 88.1% con mayores ingresos económicos y 97.7% con mejor nivel de vivienda que aquellas familias en las que los padres no están casados, están divorciados, o son madres solteras.

Este estudio demuestra que:

1. Los niños que viven con ambos padres en unión libre tienen **cuatro veces** más posibilidades de sufrir abuso sexual que aquellos que viven con ambos padres biológicos casados.
2. El 14.5% de mujeres de 15 años o más que viven en unión libre sufrieron violencia física por parte de su pareja, a diferencia de 7.9% de mujeres casadas por leyes civiles y religiosas.

El tema de la "unión libre" no es una cuestión de haber firmado o no "el papelito". Es una realidad que las personas casadas y sus hijos viven mejor que aquellas que sólo están unidas sin compromiso legal y/o religioso.

Casi todas las personas deseamos amar y ser amados de forma incondicional, no por lo que podemos hacer o lograr, sino por lo que somos. Sin embargo, la unión libre no implica el compromiso para toda la vida, sino que es una relación que dispone de una puerta de emergencia tan grande que la gente la usa ante el primer tropiezo; esta puerta permite salir corriendo. Es por eso que si el hombre habla de amor y dice amar a una mujer, la forma de demostrarlo es casándose con ella.

Qué diferencia tan grande hay entre quienes optan por la unión libre y entre quienes han decidido unirse libremente en matrimonio y compartir sus vidas por 20, 30, 50 años o más. Ellos son ejemplos de esfuerzo, penas compartidas, alegrías y mucho más; ellos se han fundido uno en el otro, se han entregado completamente, sin fecha de caducidad, para toda la vida, con esa libertad del compromiso y la responsabilidad compartida, desde siempre y para siempre.

Pero, ¿cómo elijo de manera correcta a la persona para casarme?

1. Para hacer una buena elección, lo primero es tener mucho de dónde elegir. Pongamos un ejemplo; si tuvieras que elegir el único par de zapatos que usarías todos los días de tu vida, ¿te gustaría escoger entre dos pares o entre 50 pares? ¡50, ¿verdad?! Y lo mejor sería que conocieras todos estos zapatos antes de comprar unos. Con los hombres pasa algo muy similar: antes de iniciar un compromiso como es el noviazgo, primero ten muchos amigos. No amigovios, ni amigos con derechos, ni amigos que se besan, se abrazan y se tocan, ni nada por el estilo: solamente amigos. Ten 50 amigos antes de los 20 años, sal con ellos, pásala bien, ríete y diviértete sanamente. Poco a poco, te irás dando cuenta de qué tipo de persona quieres para ti, y así podrás elegir. La única forma de conocer a los hombres es platicando con ellos, es siendo amigos. Así, te darás cuenta de cómo hablan sobre las mujeres, qué esperan de su vida, cuáles son sus sueños, sus anhelos y quién realmente vale la pena. La adolescencia es el mejor momento para hacer buenos amigos, y amigos para toda la vida. ¡Aprovéchalo!

2. Al tener más de 20 años, la madurez será distinta que a los 14 o 15 años, entonces es importante que te preguntes qué esperas del otro en una relación; es decir, qué es lo que consideras fundamental en tu pareja, cuáles son aquellas cosas en las que no podrías ceder. Es importante en este punto considerar virtudes y valores que sean inamovibles, el cómo esperas ser tratada por un chico que sea especial, y cómo ves la vida en un futuro.

3. Cuando conozcas a un gran chico con quien exista atracción física y valores similares, entonces habla, platica, conversa de todo y todo el tiempo. Conversar es la única forma en que se conozcan. Imagínate que con la persona con quien elijas casarte, pasarás los siguientes 50 años de tu vida. ¿No sería mejor conocerlo más a fondo? En el noviazgo hay que evaluar el plan de vida, el cómo ves la vida a futuro, lo que esperas del matrimonio y para los hijos. Luego, deberás compararlo con lo que él quiere para su futuro y ver si toman el mismo rumbo. Habrás de valorar cómo te trata frente a su familia y sus amigos, pues en una relación formal que se encamina hacia el matrimonio, la prioridad debes ser tú.

Deberán tener como base de su relación la honestidad. Hay dos puntos clave para esto: no vivan juntos antes de casarse, ni tengan relaciones sexuales. Como ya lo hemos platicado, el sexo es bueno, es nuestro tesoro y es para amar. Por medio del sexo, uno se entrega en cuerpo, mente y espíritu a su amado, pero, ¿qué pasaría si tu novio se entrega a ti y con su cuerpo te dice que te ama?, pero tú sabes que no han hecho la promesa de fidelidad ni exclusividad que se hace en el matrimonio, entonces, ¿esa relación sexual no sería como una mentira? Además de esto, vivir la castidad (es decir, no tener relaciones sexuales hasta que uno está casado), es un gran camino para empezar a vivir la fidelidad. Si el hombre y la mujer aprenden a "esperar" durante el noviazgo, será mucho más fácil que dentro del matrimonio también puedan negarse a situaciones de infidelidad, pues han trabajado su fuerza de voluntad. Asimismo, como ya lo hemos tratado en capítulos anteriores, dejar el sexo hasta el matrimonio les permitirá conocerse mejor, elegirse mejor; les hará sentirse a ambos valorados, sobre todo a la mujer, por su forma de ser y no por lo que el hombre obtiene de ella con el sexo.

También, dentro del noviazgo hay que darle tiempo al tiempo, vivir problemas y momentos de desacuerdo para ver cómo reaccionan ambos ante estas situaciones y cómo las solucionan. La amistad es algo que no puede faltar, pues al momento de casarse se volverán una sola carne y, por tanto, entre ustedes no podrá haber secretos; deben platicarse todo, sin vergüenza, sin temor, ya que esa confianza será la que forje el amor todos los días.

Si para ti es importante la vida espiritual y la religión, deberás buscar a alguien que piense y la viva como tú. Es un gran regalo de la vida compartir la vida espiritual y crecer ambos como novios y posteriormente dentro del matrimonio.

Es importante que vean su futuro hacia el mismo camino, que antes de casarse hayan platicado sobre el tema de los hijos, sobre la forma en que administrarán los ingresos de la casa (pues al momento en que se casen, todo será de los dos), el tiempo que dedicarán a sus padres, hermanos y amigos, y, sobre todo, deben tener claro que el matrimonio no es para uno, el matrimonio es para amar y hacer feliz al otro, sólo de esta forma dejamos el egoísmo fuera y podemos crecer en el amor.

NOTAS

1. *Encuesta de Capital Social en el Medio Urbano 2006* (ENCASU-2006), Secretaría de Desarrollo Social-Instituto Nacional de Salud Pública.
2. Pliego, F., *Familias y bienestar en sociedades democráticas*, Porrúa, México, 2012.

Capítulo 12

Algo fundamental al hablar de sexo seguro en el matrimonio es el tema de la donación total y la apertura a la vida, es decir, la llegada de los hijos. Esta apertura implica que en cada relación aceptemos al otro en su totalidad, aceptemos su parte física, emocional, espiritual y también su fecundidad. Como ya vimos en capítulos anteriores, el sexo es la expresión más íntima de amor; ese amor nos invita a aceptar a otro en su totalidad, y esa totalidad implica aceptar su fecundidad.

Dentro de la sexualidad, debemos actuar de manera responsable; vivir la "paternidad responsable". No se trata de traer al mundo todos los hijos posibles, sino de –abiertos a la vida y con generosidad– ir buscando la llegada de nuestros hijos conforme nuestras posibilidades económicas, personales, de educación, de cuidado y de amor. Y esto podemos lograrlo gracias a que el cuerpo de la mujer permite que identifiquemos de manera muy clara los periodos de fertilidad, es decir, aquellos días en que si se tiene relaciones sexuales, puede darse un embarazo. Al conjunto de signos y síntomas que permiten identificar los días fértiles, se le conoce como "métodos de regulación natural de la familia" o "métodos naturales".

Es importante no confundir anticoncepción con métodos naturales, porque estos métodos naturales no son anticonceptivos naturales. Como ya vimos, los anticonceptivos nos llevan a vivir el sexo

115

basura, relaciones donde la entrega no es total, la mujer es usada y su salud generalmente corre peligro. Los anticonceptivos vuelven las relaciones sexuales fértiles en infértiles. Los métodos naturales, por el contrario, no son anticonceptivos naturales: nada tienen que ver con la anticoncepción. Los métodos naturales solamente nos proporcionan herramientas necesarias para reconocer los periodos de la fertilidad e infertilidad en la mujer para que en los momentos en que se busque postergar la llegada de un hijo se evite tener relaciones sexuales cuando la mujer se encuentre fértil. Con los métodos naturales, se aprovechan los días no fértiles para tener relaciones sexuales, pero en ningún momento convierte las relaciones en infértiles.

Pero, ¿cómo entender la fertilidad de la mujer? La fertilidad del hombre y de la mujer es algo que ambos deben conocer para usarla a su favor. El hombre produce millones de espermatozoides diariamente; es capaz de fecundar a una mujer todos los días del año, desde que inicia esta producción durante la adolescencia.

Por otro lado, la mujer desde que tiene su primera menstruación durante la adolescencia, libera generalmente un óvulo durante su ciclo menstrual. Este óvulo vive entre 24 y 48 horas desde que sale del ovario.[1] Los espermatozoides viven un máximo de cinco días dentro del cuerpo de la mujer, después de una relación sexual; por lo que si consideramos estos datos, la posibilidad de un embarazo es de ¡sólo siete días al mes!,[2] y buscando un margen de seguridad, el periodo fértil de una mujer es de entre 9 y 10 días al mes.

La Organización Mundial de la Salud define como métodos naturales las técnicas para buscar o evitar embarazos, mediante la observación de los signos y síntomas que, naturalmente, ocurren durante las fases fértiles e infértiles del ciclo menstrual, evitando la relación sexual en la etapa fértil si no se busca el embarazo.[3]

El cuerpo humano es muy sabio; le ha dado a la mujer la capacidad de reconocer sus periodos de fertilidad e infertilidad. Las bases biológicas del cuerpo humano permiten reconocer la ovulación en el periodo fértil de la mujer;[4] esto puede lograrse gracias al conocimiento del tiempo que dura del ciclo menstrual junto con los cambios en la temperatura del cuerpo por las mañanas, así como la observación del moco cervical;[5] como también pueden medirse ciertas hormonas en orina, saliva y sangre.

Los métodos naturales respetan la vida en todo momento y, en caso de que no se busque un hijo, invitan a evitar las relaciones sexuales en el periodo de fertilidad (que será de entre 9 y 10 días al mes). Los métodos naturales tienen un punto muy importante: no afectan la salud, ni de la mujer ni del hombre.

La planeación de la familia es un privilegio de los esposos; implica decidir, con amor, el número y espaciamiento de sus hijos, por un medio bueno y que no afecte su salud. Este es un tema que corresponde únicamente a los esposos. Es una decisión muy personal, ya que ellos son los principales educadores y formadores de sus hijos. Conociendo el cuerpo de la mujer, los esposos podrán decidir el número de hijos que quieran tener. De esta forma, evitarán las relaciones sexuales cuando ella se encuentre fértil, y aprovecharán los días de no fertilidad de la mujer para vivir las relaciones sexuales a plenitud.

Los métodos naturales respetan la dignidad de la persona y la relación sexual entre ellos. El acto sexual es normal. No existe interferencia de ningún tipo con el cuerpo de la mujer. Es natural que se pueda expresar el amor entre los esposos por medio de relaciones sexuales y sin posibilidad de un embarazo.[6] Con estos métodos, la sexualidad del hombre se adapta a la de la mujer, con lo cual crece la responsabilidad de ambos tanto en ésta como en la paternidad, así como se dignifica a la mujer.

Los métodos naturales son adaptables a cualquier condición sociocultural, nivel educativo, nivel económico y etapa de la vida de la mujer. Estudios indican que 95% de las mujeres reconoce los signos de fertilidad,[7] y éstos llegan a tener una efectividad de 95 hasta 99.7% para evitar embarazos, con un uso correcto.[8]

Existen los métodos naturales sencillos, que sólo necesitan capacitación, y otros considerados modernos que utilizan dispositivos, tales como el Pearly[9] (efectividad de 98%) y el Persona[10] (efectividad de 94%),[11] entre otros.

I. MÉTODOS NATURALES SENCILLOS

a) Método de la ovulación o del moco cervical: se basa en reconocer las características del moco cervical, es decir, el moco que produce la mujer en la vagina durante todo el mes. Después de la menstruación, la mujer se siente seca, pero al paso de los días aumenta la humedad (es decir, que inicia la etapa de fertilidad). El periodo fértil es de cinco días antes de la ovulación y hasta cuatro días después de ésta, que es cuando deben evitarse las relaciones sexuales. En el pico de la fertilidad, el moco es muy elástico y transparente, como clara de huevo; lo notas porque te sientes húmeda y puedes ver el moco al limpiarte con papel después de ir al baño. En la etapa infértil, el moco es escaso, amarillento, turbio, pegajoso y poco elástico, así como existe una sensación de sequedad en los genitales, por lo que no hay posibilidad de un embarazo.[12] Este método tiene una efectividad de 95%. Es 100% natural; no tiene efectos negativos para la salud tanto del hombre como de la mujer.

Figura 12.1. Día de máxima fertilidad en el método de la ovulación.

b) **Método Creighton:** es muy parecido al método de la ovulación, pero el método Creighton valora la cantidad y particularidades físicas del moco cervical. Es importante llevar un registro diario, en donde se anoten los cambios de moco y sus características. De igual forma, se necesita llevar una capacitación básica con seguimiento por parte de un instructor de entre tres a seis meses.

II. MÉTODOS MODERNOS

a) **Pearly:**[13] es una minicomputadora que recolecta datos (la temperatura y fechas de la menstruación), los graba y analiza, y da un pronóstico muy confiable sobre los días de fertilidad.

Es muy pequeña; usa una sola pila, y puede guardarse en cualquier bolsillo. Por las mañanas, al momento de levantarse, la mujer debe tomarse la temperatura con el pequeño termómetro que tiene el Pearly, y debe poner las fechas de su menstruación cada mes.

Esta microcomputadora ha sido evaluada por médicos de la Universidad de Düsseldorf en Alemania. Al respecto, tiene una efectividad de 98% para detectar los días de fertilidad.[14] Su aprendizaje es mínimo. Es 100% natural y no tiene efectos negativos para la salud tanto del hombre como de la mujer.

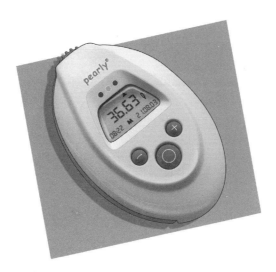

Figura 12.2. Pearly.

b) **Persona:**[15] es un monitor que detecta los días de fertilidad por medio de la orina. Está compuesto por varillas de prueba de orina y de un pequeño monitor manual. Con las varillas, se recolecta orina en las mañanas y en el monitor se interpretan los datos. Se ha demostrado que el *Persona* tiene una efectividad de 94%.

Esto significa que de 100 mujeres que utilizan este método a lo largo de un año, únicamente seis pueden llegar a quedar embarazadas debido a la incorrecta identificación de días fértiles. No tiene efectos negativos para la salud tanto del hombre como de la mujer, además de que es 100 % natural.

Figura 12.3. Persona.

NOTAS

1. Pyper, C. M., *Fertility awareness and natural family planning*, vol. 2, núm. 2, Eur J Contracept Reprod Health Care, 1997, pp. 131-146.
2. Wilcox, A. J., C. R., Weinberg, Baird, D. D., *Timing of sexual intercourse in relation to ovulation, Effects on the probability of conception, survival of the pregnancy, and sex of the baby*, vol. 333, núm. 23, N Eng J Med, 1995, pp. 1517-1521.
3. *World Health Organization. Natural family planning: a guide to provision of services*, WHO, Geneva, 1988.
4. Tommaselli, G. A. *et al., The importance of user compliance on the effectiveness of natural family planning programs*, vol. 14, núm. 2, Gynecol Endocrinol, 2000, pp. 81-89.
5. Colombo, B., G., Masarotto, Daily fecundability: first results from a new data base, vol. 6, núm. 3, Demogr Res, 2000, p. 39.
6. Rutllant, M., L. F., Trullols, *Sexualidad humana y práctica de los métodos naturales*, vol. 45, núm. 2, Cuadernos de Bioética, 2001, pp. 131-139.
7. Ryder, B., H., Campbell, *Natural family planning in the 1990s*, vol. 346, núm. 8969, Lancet, 1995, pp. 233-234.
8. Freundl, G. *et al., State-of-the-art of non-hormonal methods of contraception: IV. Natural family planning*, vol. 15, núm. 2, Eur J Contracept Reprod Health Care, 2010, pp. 113-123.

9. Disponible en: <https://shop.valley-electronics.ch/de/?cat=1>.

10. Janssen, C. J., R. H., Van Lunsen, *Profile and opinions of the female Persona user in The Netherlands*, vol. 5, núm. 2, Eur J Contracept Reprod Health Care, 2000, pp. 141-146.

11. Guida, M. *et al.*, *Diagnosis of fertility with a personal hormonal evaluation test*, vol. 55, núm. 2, Minerva Ginecol, 2003, pp. 167-173.

12. Billings, E. L. *et al.*, *Symptoms and hormonal changes accompanying ovulation*, vol. 1, núm. 7745, Lancet, 1972, pp. 282-284.

• Flynn, A. M., S. S., Lynch, *Cervical mucus and identification of the fertile phase of the menstrual cycle*, vol. 83, núm. 8, Br J Obstet Gynaecol, 1976, pp. 656-659.

• Marcó, B. F., *Métodos naturales de regulación de la fertilidad*, vol. IV, núm. 4, Medicina y Ética, 1993, pp. 75-97.

13. Disponible en: <https://shop.valley-electronics.ch/de/?cat=1>.

14. Freundl, G. *et al.*, *Estimated maximum failure rates of cycle monitors using daily conception probabilities in the menstrual cycle*, vol. 18, núm. 12, Human Reproduction, 2003, pp. 2628-2833.

• Frank-Herrmann, P. *et al.*, *The effectiveness of a fertility awareness based method to avoid pregnancy in relation to a couple's sexual behavior during the fertile time: a prospective longitudinal study*, vol. 22, núm. 5, Human Reprod, 2007, pp. 1310-1319.

• De Leizaola, M. A., *Etude prospective d'efficacité d'une méthode sympto-thermique récente de planning familial natural*, núm. 27, J Gynecol Obstet Biol Reprod, 1998, pp. 174-180.

15. Janssen, C. J., R. H., Van Lunsen, *Profile and opinions of the female Persona user in The Netherlands*, vol. 5, núm. 2, Eur J Contracept Reprod Health Care, 2000, pp. 141-146.

Capítulo 13

Lo primero y más importante es que –aunque ya hayas tenido relaciones sexuales– con uno o varios chicos, debes saber que tienes la capacidad de decidir ya no tenerlas más hasta el día en que te cases. Puedes aprender a esperar, a vivir una relación de noviazgo de una manera objetiva, valorando cada momento de la misma, una relación que te invite a dar lo mejor de ti y lo mejor de él.

Darnos cuenta de que hemos cometido errores, y asumirlos como tales, es una demostración de madurez y vale la pena que esto lo veas como un logro. En muchas ocasiones se tienen relaciones sexuales en la adolescencia, juventud y antes del matrimonio porque una puede estar confundida, por presión de nuestro novio, nuestras amistades o porque nadie nos había hecho reflexionar acerca de todas las ventajas de la espera por el sexo hasta el matrimonio.

Aunque hayas tenido relaciones sexuales con uno o más chicos, tú puedes optar por la "segunda virginidad", guardarte, esperar y darte la oportunidad de conocer de manera objetiva al hombre con quien compartirás tu vida. De esta forma, podrás sentirte valorada. Nadie tiene derecho a juzgarte; recuerda que todos hemos caído y siempre merecemos una nueva oportunidad.

Si deciden esperar para las relaciones sexuales hasta el matrimonio, juntos podrán aprender a valorar momentos de convivencia

entre ustedes, con sus familias y amigos; juntos aprenderán a valorar la manera en que asumen y resuelven sus problemas, así como
las situaciones cotidianas de la vida. Podrán tener tiempo para crecer en el amor, para terminar sus proyectos, como estudiar y trabajar, y sobre todo darse cuenta ambos de si el amor que existe es
genuino y, por supuesto, si son el uno para otro.

Figura 12.3. Recuerda, el sexo seguro sí existe,
y tú puedes optar por él.

VALE LA PENA ESPERAR

Capítulo 14

Seguramente has pensado que algún día conocerás al amor de tu vida y que con él te casarás. Piensa: ¿Cómo te gustaría que él te conociera? ¿En qué condiciones personales te gustaría que él estuviera cuando tú lo conozcas? ¿Te gustaría que él fuera un "experto" en relaciones sexuales? ¿Que hubiera tenido relaciones sexuales con muchísimas chicas? En cuanto ti: ¿Te gustaría ser una experta en las relaciones sexuales antes de conocerlo, haberte entregado a varios chicos? ¿No te gustaría tener algo único y especial para el chico con quien te cases? ¿Alguna vez has pensado en empezar a serle fiel desde ahora y guardarte para él?

Mira, nadie muere de virginidad (ya sea tu primera virginidad o la llamada *segunda virginidad*), tampoco nadie muere por no tener relaciones sexuales, ni se enferma por no tener sexo: ¡No caigas en esa trampa! Por el contrario, el tener la determinación de cuidar tu cuerpo te hará ser una mujer mucho más segura de ti misma. Si eres virgen, es bueno para ti. Si llegas virgen al matrimonio, tienes hasta 60% más de posibilidades de que tu futuro matrimonio funcione. Si te preocupa ver tanto divorcio a tu alrededor, piensa cómo puedes tomar buenas decisiones desde ahora para cuidar de tu futuro matrimonio.

Hay pensamientos que invaden a la gran mayoría de las chicas como tú, que seguramente te serán comunes: ¿Qué tipo de cosas puedo hacer sin tener relaciones sexuales? ¿Hasta dónde puedo llegar con mi novio? Te haré una pregunta: tu futuro esposo ya anda por ahí, y seguramente está ahora con una chica como tú, a la que nunca conocerás. ¿Te gustaría que ellos dos estuvieran besándose y tocándose todo el tiempo? ¿Hasta dónde te gustaría que ellos llegaran? ¿Te gustaría que desde ahora él te diera tu lugar y ya te estuviera esperando?

Sin duda, responder a estas preguntas implica el reto de asumir algunas posiciones en la vida. De eso se trata, de asumir comportamientos que reflejen lo que tú realmente valoras y quieres, y la manera como esperas que ese hombre te valore, cuando se conozcan.

Debes saber que si tú tienes menos de 20 años y tu novio menos de 23; existen pocas posibilidades de que se casen. Las mujeres que tienen relaciones sexuales con su novio en la adolescencia o en los primeros años de la juventud, lo hacen por la vana ilusión de creer que a través del sexo se establecerán lazos profundos de amor, pero esto es falso. **Tener relaciones sexuales en el noviazgo es jugar con fuego**, pues existe una amplia posibilidad de que el cariño se diluya y sobre todo el novio pierda el respeto por esa relación.

Cuando una chica tiene relaciones sexuales con su novio o con un amigo (*free*), no sabe en realidad si ese chico está con ella porque la quiere o por el sexo. Y al momento que la relación termina (porque no dudes que terminará con el paso del tiempo), un pensamiento abruma a la gran mayoría de las chicas: *Él se llevó algo de mí que no era para él; eso era para alguien que sí me quisiera y se comprometiera conmigo para toda la vida.* Lamentablemente, en muchos casos, esto se convierte en un círculo vicioso, pues la mujer al haberse sentido usada, espera recuperarse al encontrar "otro amor" y volver a entregarle todo. Así es como hay chicas que llegan a los 20 años ya con 5 o 6 parejas sexuales, muchas dosis de píldoras de emergencia, el corazón destrozado y la autoestima en el piso.

Pero ¡cuidado!, no queramos culpar a los hombres por esto. Las mujeres también somos responsables de esta situación. Seguramente, has escuchado la siguiente frase: *el hombre llega hasta donde la mujer quiere*; pues es real. La gran mayoría de los hombres llevan a un auténtico caballero dentro de ellos, pueden comportarse a la altura y respetar a la mujer; pero las chicas debemos comportarnos como mujeres (en todo el sentido de la palabra), respetarnos y darnos nuestro lugar, para que el hombre se porte a la altura.

Las mujeres debemos saber que a los chicos los han engañado, les han hecho creer que para ser hombres deben conseguir algo íntimo de las chicas, y eso es falso. Ser hombre es ser protector, cuidar a sus cercanos, saber respetar, pensar en los demás antes que en ellos mismos; esos son rasgos de un verdadero hombre; no se trata de robarles a las mujeres parte de sí y de su sexualidad. Las chicas debemos tener claro que en nosotras está el poner el límite. **En muchas ocasiones, las chicas les ofrecen sexo a los chicos con tal de conseguir amor, y ellos ofrecen un supuesto "amor" para obtener sexo.**

Pensar en la fiesta puede ser atractivo: los chicos, ser el centro de atracción, ser importante para alguien, que alguien me haga sentir la mujer más bella del mundo, pero después de toda esta adrenalina, al siguiente día te despiertas y estás sola.

Alguna vez te has levantado pensando: *¿Qué hice anoche? No lo quiero volver a ver. ¡Qué hice!, espero que me llame hoy, pues si no me voy a sentir una cualquiera. ¡Qué hice anoche!, me quiero morir. ¿Y si se lo cuenta a todos sus amigos? ¿Si se enteran en la escuela, los de mi salón? ¿Y si me quedo embarazada?* El sexo no es un juego, y quien ha tenido relaciones sexuales sabe de lo que estoy hablando.

Si eres virgen, ¡te felicito!, has tomado una gran decisión en tu vida, sigue así, cuídate. Jamás te sientas avergonzada por eso; si alguien se burla, es porque quisiera volver a ser como tú.

Si ya has tenido relaciones sexuales, nadie te juzgará por las decisiones que tomaste, el porqué lo hiciste o con cuántas personas; todos los seres humanos tenemos caídas, pero nunca es tarde para volver a empezar. Es tiempo de recuperarte, es el momento de tu vida, es hora de decidir cambiar el rumbo de las cosas, cambiar tu futuro, cuidarte y darte a respetar, recuperar tu seguridad, tu vida, y vivir esta segunda virginidad. Empieza ya tu espera y apuesta por aquel que será el hombre de tu vida, el chico con quien compartirás todo y con quien algún día te casarás.

Vivir tu virginidad o tu segunda virginidad, te permitirá crecer, madurar, ser independiente, ser una chica segura de sí misma y tener los ojos bien abiertos para esperar la llegada y elegir al amor de tu vida. Todas anhelamos el amor, queremos amar y ser amadas; pero a veces las mujeres lo deseamos tanto, que cometemos errores por no aprender a esperar y elegir de manera correcta. Reflexiona por un momento, antes de entregar todo el amor en una relación sexual hay que platicar, salir, conocer, convivir con su familia, pasar tiempo juntos, compartir sus logros, caídas, comprender los defectos, perdonarse, tener un plan de vida juntos, convivir con los amigos, escucharse, apoyarse, elegirse, comprometerse y casarse.

El camino a la madurez no es fácil, pero las mujeres debemos lograr la independencia y seguridad en nosotras mismas. De esa forma, podremos recibir y dar la clase de amor que anhelamos: un amor verdadero, comprometido, fiel, honesto, por el que vale la pena dar la vida, un amor para casarse y formar una familia. Para lograr esto hay que cuidarse, por eso me permito darte algunos *tips* para conseguirlo:

1. Viste con modestia, cuida de tu cuerpo y no enseñes de más. Debes saber que dentro de la sexualidad, las **mujeres** somos **auditivas**, y los **hombres, visuales**. Es decir, que a la mujer se le conquista con el oído (por eso dicen: "verbo mata carita", es decir, que la mujer quiere escuchar cosas bellas para que la conquisten); en cambio, el hombre es visual, es decir, se fija más en lo que mira. Pero cuidado, esta es un arma de doble filo, ya que si una no es suficientemente madura, el hombre puede seducirte diciéndote cosas bellas únicamente para conseguir algo, para tener relaciones sexuales, para llevarte a la cama. Si una está enseñando de más, lo primero en que se fijará el chico que te gusta, será en la minifalda, en los pantalones cortos, en el súper escote, en los tirantes del *brassier*, en la ombliguera, en el diminuto *bikini*, y le darás a entender que vales por eso, por cómo te vistes; nunca se fijará en ti, en lo que vales como persona, en tu manera de pensar, en el valor de tu amistad y de tus valores. Si el chico sólo ve un cuerpo y no te ve a ti como mujer, sólo te buscará para obtener ese cuerpo que "estás" ofreciendo, te perderá el respeto y no te tomará en serio, no porque no valgas –claro que vales y vales muchísimo– sino porque tu principal carta de presentación es lo que estás enseñando.

Lo mismo ocurre con la forma de bailar y de hablar. El baile únicamente refleja una parte externa, pero no habla de ti. Pero si bailas de una forma vulgar, provocadora, te prestas para tipos de bailes como el *reggaetón* o el *perreo*, dejarás ver solamente aquella parte sexual que los hombres inmaduros buscan, y no les permitirás conocer todo el valor que tienes como mujer. Lo mismo pasa con la forma de expresarse. Si buscas rebajarte a la forma en que se expresan los hombres cuando están hablando entre ellos (con groserías, vulgaridades y albures), será muy difícil que escuchen todo el valor que hay dentro de ti.

La publicidad nos ha hecho creer que para ser mujer, para ser femenina, hay que vestirse extremadamente sexy, enseñar todas las piernas, la espalda, el abdomen, estar súper maquillada, tratar de ser atractiva todo el tiempo, ser súper delgada, con un cuerpazo y bailar de forma muy sensual y excitante. Esto es falso; sólo ha logrado que las mujeres no se valoren por lo que son, sino que aspiren a ser lo que no son. Por ejemplo, que no quieran comer nada, o que coman y vomiten, que tengan que enseñarlo todo y que tengan que acceder a todo lo que el hombre les pide. **La belleza de la mujer no radica en enseñar de más ni en la obsesión de verse cada día más atractiva;** la belleza está en darse a conocer por su inteligencia, en destacar por sus capacidades, por su cuidado a los demás, por darse a respetar, y por verse bella, pero con cuidado de su persona, sin querer llamar la atención a toda costa.

Por eso, es importante vestir y bailar con modestia. Con esto no me refiero a que una debe verse fea o aburrida, sino por el contrario, vestir y bailar de una manera en la que tu belleza refleje tu valor y el cómo mereces ser tratada por los hombres. ¿Qué buscas? ¿Que un hombre te vea pasar y voltee por cómo vas vestida, o que al conocerte su corazón voltee y se quede anclado a ti? No esperes a que un chico te valore porque eres inteligente, segura y hermosa, si lo primero que le enseñas es el ombligo y las piernas; esto solamente despertará su faceta visual sobre la sexualidad y no será capaz de ver todo lo que vales.

2. Escucha a tu conciencia. Te contaré una pequeña historia para explicarme mejor. Una noche Juan dormía en su casa. A las 2 de la mañana su perro empezó a ladrar. Juan bajó a la cocina y le dijo que se callara pues no podía dormir. A los 10 minutos el perro nuevamente volvió a ladrar. Juan muy enojado bajó nuevamente a la cocina y le gritó al perro para que lo dejara dormir. A los 10 minutos el perro volvió a ladrar. Juan furioso bajó a la cocina, le gritó, le puso el bozal y lo mandó fuera de la casa para no oír más sus ladridos. En ese instante, salió el ladrón del armario donde estaba escondido y le robó a Juan todo lo que tenía. Ese perro al que Juan no quiso escuchar es nuestra conciencia, que muchas veces queremos silenciar, callar y golpear para poder hacer lo que queremos y sentirnos libres; pero, ¿eso es ser libre? La libertad es utilizar nuestra voluntad e inteligencia para tomar las mejores decisiones, así como es aprender a escuchar a nuestra conciencia y también es decir NO cuando sabemos que algo puede afectarnos. Recuerda: **Aprende a decir que no.**

Piensa por un momento, ¿cómo te has sentido si empiezas a salir con un chico y él te besa sin ser novios? Algo dentro de ti te dice que para dar un beso lo mínimo es que exista el compromiso de que sea tu novio. ¿Cómo te has sentido si tu novio te insiste en tener relaciones sexuales? ¿Acaso no has sentido dentro de ti que eso no te dejará nada y que puedes lamentarlo? ¿Cómo te has sentido si un chico que acabas de conocer quiere tocarte? Bien sabes que quieres sentirte querida y te gusta que él se haya fijado en ti, pero también sabes que él no debe sobrepasarse y que no te está respetando. Para eso es tu conciencia, es la voz interior que te dice: ¡cuidado!, alerta, no te la juegues, mejor termina esta relación, date tu lugar. Esa es nuestra conciencia; debes dejar que hable, aprender a escucharla y hacerle caso.

3. Platica y escucha a tus padres. Puedes estar segura de que las personas que más te quieren en este mundo son tus padres. Debes acercarte a ellos y tenerles confianza. Ellos te han visto crecer desde que eras un bebé, luego una niña; han compartido contigo momentos de alegría, de tristeza, tus frustraciones y tus logros. ¿Quién mejor para orientarte y para platicar contigo que aquellas dos personas que te aman más que nada en el mundo, que ya han vivido todo lo que tú estás viviendo?

Si tienes dudas sobre los chicos, acércate a tu papá o a algún hermano mayor. Él es hombre, fue adolescente, fue joven, y sabe lo que piensan los chicos, sabe lo que dicen de las mujeres; él mejor que nadie, podrá orientarte sobre todas las preguntas que tengas.

Capítulo 15

Durante la adolescencia y juventud, conocerás a muchos chicos por los que puedas sentir atracción, gusto e incluso te llegues a sentir enamorada. Es importante que siempre te des tiempo para entender tus sentimientos y, sobre todo, para vivir momentos cotidianos que te permitan conocer en realidad a los chicos.

En esta etapa de la vida, pueden surgir muchas preguntas sobre las relaciones interpersonales, la sexualidad y el sexo, por eso nos permitimos publicar algunas de las preguntas más importantes que miles de chicas como tú nos han hecho a través del portal de *Sexo Seguro, A. C.* <www.sexoseguro.org>, así como las respuestas que médicos especialistas les han dado.

ADOLESCENCIA

Rafaela, 15 años, Chilpancingo: Un amigo me dijo que los hombres, algunas noches, tienen como una especie de menstruación, ¿cómo puede ser esto?

Hola, Rafaela. Lo que te comentó tu amigo es en parte cierto, aunque no del todo. Te explico el porqué. El hombre, cuando entra en la adolescencia, empieza a producir de manera importante espermatozoides y líquido seminal (todo esto es llamado semen). Como parte de este proceso natural, cuando se ha iniciado la adolescencia, la forma fisiológica en que este líquido es expulsado del cuerpo es por medio de "pulsiones endógenas" o "poluciones nocturnas", que son la salida del semen durante el sueño y se da de una forma natural. Esto no es una menstruación, pero de alguna forma nos indica que el cuerpo del hombre se está preparando para en un futuro poder ser padre.

Viviana, 14 años, Distrito Federal: ¿Qué cambios hay en el cuerpo durante la adolescencia?

La adolescencia es el tiempo en el cual las características físicas y sexuales de las niñas maduran, y esto se debe a cambios hormonales. Durante esta etapa, ciertas glándulas productoras de hormonas causan cambios corporales y desarrollan a los caracteres sexuales secundarios. Es así como los ovarios comienzan a incrementar la producción de estrógeno y de otras hormonas. El desarrollo de las glándulas mamarias o pechos es el signo principal de que una niña está entrando en la pubertad. A este hecho, le sigue la presencia de la primera menstruación. Asimismo, crece vello en las axilas, vello púbico, crece de estatura, aumenta la cantidad de grasa en las caderas, y la cintura se vuelve más pronunciada.

Jeniffer, 15 años, Coahuila: ¿Qué es la menstruación?

La primera menstruación es un acontecimiento muy importante en la vida de toda mujer, pues nos indica que nuestro cuerpo está preparándose, tanto física como psicológicamente, para algún día poder ser madres.

Como tal, el sangrado de la menstruación es el resultado del desprendimiento del endometrio (la capa más interna del útero), que se prepara mes con mes para un embarazo; pero al no presentarse, todo ese tejido debe ser regenerado, es decir, el útero debe limpiarse para volver a regenerarse mes a mes.

Antes de la llegada de la primera menstruación, es común que una niña presente aumento en la estatura, ensanchamiento de la cadera, secreciones vaginales claras y crecimiento de vello en el pubis, las axilas y las piernas.

Naty, 17 años, Nayarit: Muchas amigas me han dicho que cuando una mujer se embaraza, puede seguir teniendo la menstruación. ¿Esto es cierto?

No, es imposible que una mujer esté embarazada y menstrúe; te explico el porqué. Mes a mes, la mujer tiene un ciclo hormonal que prepara todo su aparato reproductor para que, en caso de haber una relación sexual y fecundación, el cuerpo esté listo para poder recibir a ese bebé en el útero. Este útero tiene una capa interna llamada endometrio, que todos los meses se vuelve gruesa, llena de sangre y nutrientes, para que –si hay fecundación– ese bebé se pueda implantar, crecer y desarrollarse por nueve meses hasta que nazca. Ahora bien, cuando no hay fecundación, toda esa capa interna llamada endometrio debe desecharse para poder prepararse nuevamente el siguiente mes. Ese desecho es la sangre que sale en la menstruación, por lo que es imposible estar embarazada y menstruar. Sin embargo, algo que se puede presentar en las embarazadas son sangrados, pero eso es una indicación que hay un problema con el bebé, y se debe ir con urgencia al médico o a un hospital. En ese caso, estaríamos hablando de una emergencia médica y no de algo que se dé de forma cotidiana.

NOVIAZGO

Martina, 18 años, Ecatepec: Conocí a un chico que me gusta. Ya nos besamos, pero me dice que él no quiere nada serio porque se pierde la magia de la relación, que mejor seamos amigos con derechos, ¿qué hago?

El tema de los "amigos con derechos" se ha puesto muy de moda. En el fondo, nos habla de una incapacidad para comprometerse y para amar. En el caso de los hombres, el tener acceso a una relación de ese tipo es una situación muy cómoda, pues de alguna forma tienen todo lo que quieren, pero sin dar nada a cambio. Cualquier relación debe implicar derechos y obligaciones. Nuestra sugerencia sería que no te permitas una relación así, que te des tu lugar y le hagas ver que tú vales la pena para una relación seria. Si a él no le interesa, entonces no es el chico para ti, y es mejor tenerlo lejos pues te puede lastimar mucho.

Elisa, 23 años, Tampico: Mi novio es un chico lindo, pero tiene varias amigas. Sale con ellas y a veces se pasa de cariñoso con los abrazos, ¿me está siendo infiel?

Gracias por escribirnos. Aunque estamos acostumbrados a pensar que la infidelidad es tener relaciones con otra persona, existe la llamada fidelidad cordial, que es no hacer cosas que a ti no te gustaría que te hicieran; es cuidar los detalles con la persona que se quiere, es siempre darle su lugar ante todas las demás personas, en su presencia y en su ausencia. Todo indica que tu novio no te está dando tu lugar como debería, pues salir con otras chicas es algo contrario a la fidelidad. Tal vez él no esté preparado para vivir la fidelidad como tú esperas que lo haga; por lo que si después de hablarlo, ves que él no cambia, deberías valorar esta relación, pues al parecer no es el hombre que tú estás esperando.

Karla, 17 años, Sonora: Mi novio y yo terminamos. Quiero buscarlo para ver si regresamos, pero mi mejor amiga me dice que si yo le interesara, ya me habría buscado. No sé qué hacer.

Creo que tu amiga tienen razón. Cuando uno realmente quiere algo, lucha por ello y lo consigue. Debes reflexionar por qué terminaron la relación (tal vez fue porque él lo quiso o dio pie a eso), lo que con mayor claridad te indicaría que él ya no quiere volver, por lo menos por ahora. También existe la posibilidad que pase el tiempo y, si realmente tuvieron una relación profunda, él pudiera darse cuenta de lo que perdió a tu lado, y entonces vuelva a buscarte, pero debes dejar que él viva ese proceso, que te valore, te extrañe y decida volver, si es que es para ti.

Recuerda que vales la pena, vale la pena que te des tu lugar, y esto es algo que debes aprender desde ahora. Trata de analizar tus sentimientos, para entender si en el fondo realmente sigues enamorada de él, analiza por qué sientes esto, si es por las cualidades y virtudes que él tiene, o en el fondo porque no quieres estar sola y extrañas "tener novio".

Alicia, 22 años, Guadalajara: ¿Cómo puedo saber si mi novio me está tomando en serio o sólo quiere jugar conmigo, y si de verdad me conviene?

Lo primero que debes reflexionar en tu relación son los valores y virtudes que tenga tu novio, es decir, que debes darte cuenta si es honesto, generoso, si siempre piensa en ti antes que en él y si busca lo mejor para ti; debes confirmar si te es fiel o le gusta conocer y coquetear con otras chicas; si te demuestra respeto y él se respeta a sí mismo. También debes comprobar que no tenga vicios de alcoholismo o drogas, y valorar las actitudes que él tenga hacia ti frente a los demás; por ejemplo, tendrás que ver cómo te trata frente a sus amigos y su familia; así como si el proyecto de vida que él tiene es compatible con el que tú quieres para tu vida.

Te recomendamos que hagas una lista de tus valores, lo que es importante para ti, y veas si tu novio comparte esto mismo contigo. Y recuerda, algo muy importante es que debes platicar, platicar y platicar con él para conocerlo mejor.

Karen, 17 años, Hidalgo: Llevo saliendo tres meses con un chico. Nos hemos besado. Me dice que me quiere, pero no es mi novio. Ayer posteó en Facebook una foto con otra chica besándose. No sé qué hacer. Me siento triste y poco valorada.

Lo primero que debes hacer es animarte, no vale la pena que estés triste. Deberías valorar el futuro de esa "relación", pues no hay nada serio y parece que este chico no quiere comprometerse contigo. Él no te está valorando, ni se ha dado cuenta de que eres una gran mujer. El tiempo todo lo cura y él se dará cuenta de la chica que perdió. Recuerda que el compromiso es importante en las relaciones, y los besos y abrazos deben reflejar el cariño que se vive dentro de un noviazgo con fidelidad. Si no quiere, es probable que no sea la persona para ti y es mejor terminar ahora a que duela más en un futuro.

Erika, 21 años, Distrito Federal: Me gustaría creer que el amor para toda la vida existe, pero mis papás se divorciaron, por lo que realmente no creo que este amor exista.

Mira, el hecho de que tus papás se hayan divorciado no debe hacerte pensar que el amor exclusivo para toda la vida no existe. Lo más importante para que un matrimonio se mantenga unido es la comunicación, la fidelidad, el trabajo diario de escuchar, la comprensión, el amor al otro y, por supuesto, el haber elegido a nuestro compañero con base en virtudes y valores, así como en un plan de vida en común. No te desanimes, a veces en la vida los errores de los demás que vivimos de cerca pueden servirnos para no cometerlos, y, por el contrario, aprender de ellos.

Rosy, 17 años, Estado de México: Mi mejor amigo y yo nos hicimos novios; pero ahora se pone celoso de todo; no quiere que tenga otros amigos. No quiero terminar con él, ni dejar a mis amigos, ¿qué hago?

Él no puede prohibirte amistades; pero por alguna razón él se siente inseguro o celoso por sentir que no forma parte de tu grupo de amigos. Recuerda que en una relación de noviazgo y, pensando en un futuro, el otro –siempre el otro– debe ser nuestra prioridad; eso es algo que debes aprender desde ahora. Si tú disfrutas mucho más estar con tus amigos y amigas que con él, tal vez debas valorar tu relación. Puedes platicar con él sobre lo que sientes y cómo te hace sentir triste que te cele, pero también podrías invitarlo a que compartiera tiempo con tus amigos y amigas; es decir, que puedan convivir todos y de esa forma él se sienta integrado. Si después de esto, no ves mejoría y su carácter sigue siendo dominante, entonces podrías valorar si esta relación vale la pena o no.

Karina, 15 años, San Luis Potosí: Me gusta un chico de la secundaria. Lo veo casi diario en la escuela. Ya me mandó un mensajito donde me dice que me quiere, y me pide que sea su novia. Mis papás me han dicho que lo invite a la casa, que quieren conocerlo, pero él no quiere venir; parece que le da vergüenza. ¿Qué hago?

En la actualidad se ha puesto muy de "moda" que las relaciones de noviazgo sean virtuales. Casi todos tenemos un celular, y eso es bueno, puesto que estamos mejor comunicados; pero al momento de entablar una relación, no es lo mejor. El hombre es quien debe cortejar a la mujer, se debe esforzar por ella. Piensa por un momento lo complicado que puede ser decir "te quiero" cara a cara; o que este chico te pida que seas su novia viéndote a los ojos; pero qué fácil se vuelve por mensaje o *whatsapp*.

Eres una mujer inteligente y muy valiosa; eso lo saben tus papás, quienes seguramente desean saber quién te pretende, y si este chico te merece. Si este chico quiere que seas su novia, que se esfuerce por eso. El primer paso es que se quite los miedos y la vergüenza, y si no puede o no quiere, es que no está listo para comprometerse contigo.

SEXUALIDAD

Yenni, 17 años, Cuautitlán: Mi novio me ha dicho varias veces que me ama, que ya tenemos algunos meses de relación, que por eso ya es momento de entregarnos completamente y tener relaciones sexuales, pues que de esta forma me amará más. Yo no sé qué hacer.

Este es un argumento que muchos chicos usan para convencer a sus novias (o a sus "amigas con derechos") que ya es momento de las relaciones sexuales. La realidad es otra; esto sólo deja ver que tu novio está pensando solamente en él y en lo que a él le gusta, pero parece que no está pensando en ti y en lo mejor para la relación. Debes tener cuidado con esto; tener relaciones con tu novio no implicará que se comprometerá más contigo y que después se casen; sino que es muy probable que después del sexo la relación cambie para mal; pues las mujeres se vuelven inseguras, y están nerviosas todo el tiempo al pensar en un posible embarazo. Además de esto podrías estar perdiendo oportunidades y momentos para conocerse mejor de una forma objetiva.

Kari, 19 años, Puebla: ¿Es posible quedarte embarazada con un "faje"?

Sí, sí es posible embarazarse con un "faje". Lo más importante para que se dé un embarazo es que la mujer esté en sus días fértiles. Si ella está en etapa fértil, siempre que exista algún tipo de contacto genital entre un hombre y una mujer, así como eyaculación en los genitales de la mujer, existe la posibilidad de un embarazo, aun sin llegar a la penetración. Si el semen del hombre o el líquido seminal (previo a la eyaculación) llegan a los genitales de la mujer, puede darse un embarazo. Ahora bien, si ella está en la etapa infértil, es imposible que se embarace.

Ingrid, 20 años, D. F. Mi best friend y varias de mis amigas se la pasan platicando de sus experiencias sexuales. Yo soy virgen, por lo que a veces se burlan de mí y me hacen sentir excluida, ¿qué hago?

Las relaciones sexuales son la expresión de amor más íntima que puede darse entre un hombre y una mujer, cuando hay compromiso y fidelidad para toda la vida, es decir, dentro del matrimonio; asimismo, es algo que debe quedar entre el hombre y la mujer. Sólo entre ellos debe platicarse, no es para chismearse con los amigos. El hecho de que tus amigas hablen de sus experiencias o relaciones sexuales y te hagan burla por no tenerlas, refleja que son inseguras e inmaduras, y al final esto las deja ver como chicas a las que las están usando sus novios o galanes, pero que en el fondo no las quieren de verdad. Con el tiempo verás que esas relaciones van a terminar.

Lo mejor que puedes hacer es valorar si tus amigas realmente valen la pena, incluso tu *best friend*; recuerda que la verdadera amistad respeta, busca lo mejor del otro y nunca se burla.

Ana, 20 años, Campeche: ¿Cómo es el orgasmo femenino, qué se siente?

El orgasmo femenino es la culminación del deseo sexual en la mujer. Desde el punto de vista fisiológico (es decir, desde lo que le pasa a tu cuerpo), es un momento donde la respiración es más rápida y profunda, se eleva tu pulso y llega más sangre a toda la zona pélvica, y se da una explosión de tensión nerviosa denominada orgasmo. La sensación del orgasmo está centrada en la región pélvica, el clítoris, la vagina y el útero de la mujer; se acompaña del enrojecimiento de diversas zonas de la piel y movimientos musculares de intensidad variable no voluntarios. Generalmente dura entre 3 y 10 segundos.

Para las mujeres, especialmente el amor, la intimidad emocional, el cariño, la cercanía, el compromiso y el compartir sentimientos profundos con la pareja, proporcionan mayor plenitud del orgasmo, pues se refuerza el vínculo sentimental-amoroso cada vez que éste se genera. Por lo que, para sentirse realmente segura en el ámbito sexual, hay que tener una relación con compromiso y fidelidad para toda la vida, es decir, un matrimonio.

Alondra, 18 años, Estado de México: ¿Puedo quedarme embarazada si tengo relaciones en la menstruación?

Sí puedes quedarte embarazada, pues todo depende del momento en que vayas a ovular. Los espermatozoides pueden vivir hasta 5 días dentro del cuerpo de la mujer; si tienes ciclos menstruales cortos y la ovulación se lleva a cabo el día 10 de tu ciclo y, además, hubieras tenido relaciones el día 5, sí, podría darse el embarazo. Por otro lado, debes saber que el tener relaciones sexuales en los primeros días de la menstruación te vuelve más propensa a contraer una infección, además que puede irritarte la zona vaginal y sentir mucho ardor.

Jacki, 17 años, Veracruz: Soy virgen y siento que no estoy preparada para mi primera vez, pero mi novio insiste en tener sexo. ¡Auxilio!, ¿qué debo hacer?

Es normal que te sientas así. Mira, las relaciones sexuales son un gran regalo de la vida, pues gracias a éstas uno puede expresar el amor hacia la persona que ama. Pero claro, hablar de amor no es tan sencillo, pues el amor no es el "enamoramiento" que se siente en el noviazgo, ni cuando conoces a un chico que te gusta; el amor implica responsabilidad, buscar el bien del otro y, sobre todo, implica un compromiso real y verdadero para toda la vida. Sólo de esta manera es como uno puede sentirse segura dentro de una relación y entregarse de manera completa.

El tener relaciones sexuales en la adolescencia puede acarrear más complicaciones que beneficios reales. De ninguna forma accedas a cualquier cosa que pueda hacerte sentir incómoda o que no quieres, mucho menos en el terreno de la sexualidad. Creo que esta es una buena situación para que valores a tu novio; pues en el fondo él quiere hacer algo que él desea y que tú no.

Mira, importantes instituciones como la Organización Mundial de la Salud recomiendan el retraso del inicio de la vida sexual. Esto se debe a que durante la adolescencia estás viviendo una etapa importantísima para el desarrollo de tu vida futura. Estás en un momento de desarrollo y maduración fisiológica, emocional y, sobre todo, estás proyectando tu vida para los siguientes años; las relaciones sexuales pueden generarte nerviosismo, inseguridad sobre ti misma y, a la larga, puedes sentirte triste y deprimida cuando la relación con este chico termine.

Para que la entrega sea plena en la sexualidad y puedan crecer en el amor, ambos deben estar 100% seguros de su fidelidad y compromiso; y eso se puede saber hasta que uno se casa. Vale la pena esperar para tener relaciones sexuales hasta que ambos realmente se hayan comprometido para toda la vida.

Mariana, 19 años, Distrito Federal: Mi novio me ha propuesto tener relaciones sexuales anales, para así evitar la posibilidad de embarazo, ¿qué debo hacer?

Mira, sobre las relaciones anales debes saber que éstas son peligrosas desde el punto de vista anatómico. Cada parte del cuerpo tiene una razón de ser, un objetivo que cumplir. Así como la vagina está hecha para recibir la entrada del pene, el ano, que es la última parte del sistema digestivo, está hecho para almacenar materia fecal. Desde el punto de vista celular, está conformado por una piel interna muy delicada, que tiene muchos vasos sanguíneos; por lo tanto, al tener una relación anal, se lleva a cabo mucha presión en esta zona y pueden presentarse microfracturas que hagan mucho más vulnerable a tu cuerpo para contagiarse de una infección sexual, además de que esta zona termina muy lastimada y puede haber problemas posteriores para la defecación; hay personas que después de practicar el sexo anal de forma cotidiana, dejan de retener la materia fecal y entonces necesitan usar pañal. Asimismo, el sexo anal aumenta el riesgo de contagiarte de infecciones sexuales y en un futuro desarrollar cáncer de ano. Imagínate que un acto que es para amar, termine destruyendo una parte de tu cuerpo.

También, desde el punto de vista psicológico, las relaciones anales son violentas y no contribuyen a un ambiente de amor y cariño que debe haber en una relación sexual, cuando el primer objetivo de éstas es amar.

Recuerda que debes ser cuidadosa, cada parte del cuerpo tiene un objetivo y está hecho para alguna función específica; usarla de manera inapropiada puede afectarte. Imagina por un momento que en vez de comer por la boca quisieras comer por la nariz, ¿qué complicaciones podría tener esto para tu salud?, ¿qué pensarías de tu novio si él te pidiera que comieras por la nariz en vez de por la boca?, ¿verdad que la boca es para comer, la nariz para respirar, la vagina para tener relaciones sexuales y el ano para defecar? Te invitaría a que valoraras esta relación, pues parece que tu novio está pensando más en él y en su placer, que realmente en amarte y hacerte feliz; y esto puede afectarte mucho.

> Silvia, 23 años, Acapulco: Si no tengo relaciones sexuales antes de casarme con mi novio, ¿cómo sabré si soy compatible sexualmente con él o no?

El tema de la compatibilidad sexual es uno de los grandes mitos del sexo. Recuerda que las relaciones sexuales son la expresión más grande y profunda de amor cuando uno se casa; por lo que, cuando existe amor, no puede haber incompatibilidad sexual. Es por eso que debes elegir de manera objetiva y con base en los valores al hombre con quien compartirás toda tu vida y te cases; de esta forma, si existe amor entre los dos, las relaciones sexuales serán la expresión de ese amor, por lo que nunca habrá incompatibilidad, pues él estará pensando en ti y tú en él. La incompatibilidad sexual se da cuando las relaciones son sin amor y de manera egoísta, cuando uno sólo está pensado en pasarla bien y en su propio placer, pero cuando hay amor siempre habrá compatibilidad sexual.

> Cristina 17 años, San Luis Potosí: ¿Qué es el sexo oral, lo debo practicar con mi novio?

El sexo oral se refiere a la estimulación de los órganos sexuales con la boca, los labios o la lengua. Puede ser sobre los genitales masculinos, femeninos o ambos; pero específicamente implica que el hombre eyacule en la boca de la mujer. Este tipo de prácticas tiene algunos riesgos:

1. El sexo oral —en hombres y mujeres— aumenta el riesgo de contagio de enfermedades de trasmisión sexual como el herpes, el papiloma humano y el VIH-SIDA, lo que te puede afectar la boca y garganta, y posteriormente desarrollar cáncer de boca o garganta.
2. El sexo oral (sobre todo cuando la mujer se lo practica al hombre) es una práctica que despersonaliza y usa a la mujer.

El sexo es para amar, para que ambos se sientan queridos, únicos; ; y por medio del sexo oral, la mujer es usada por el hombre para "satisfacer" su deseo, y deja de ser una demostración de amor, sino más bien el uso de la mujer. Esta práctica es muy característica de la prostitución.

INFECCIONES SEXUALES

Ely, 21 años, Toluca: ¿Cómo evito contagiarme de una infección sexual ITS y qué hago si ya tengo una?

La única forma 100% segura para evitar el contagio de cualquiera de las 30 infecciones sexuales es no tener relaciones sexuales ni contacto sexual de ningún tipo, y dentro del matrimonio, ambos estar sanos y ser completamente fieles. El condón sólo disminuye el riesgo de contagio, pero nunca es 100% seguro; para las infecciones que se contagian por el contacto de la piel de los genitales, como el papiloma humano, herpes, sífilis, ladilla y chancroide, es mucho menor.

En caso de que ya creas tener o tengas una infección sexual, o algún síntoma como dolor al orinar, secreciones vaginales de olor desagradable, prurito o comezón en los genitales, que te hayan salido ronchas, granitos, o verrugas, es necesario que acudas cuanto antes al médico, de preferencia a un ginecólogo, para que te pueda valorar y te dé las indicaciones que debes seguir, así como tratamiento en caso que exista.

Marijo, 16 años, Puebla: ¿Las infecciones sexuales se pueden contagiar con las caricias que se hacen con las manos y por los fajes?

Sí claro, pues existen infecciones sexuales que se contagian por el simple contacto de piel con piel, como el virus del papiloma humano, el virus del herpes simple, sífilis y chancroide. Por lo que si un hombre que padece alguna infección sexual, se toca sus genitales infectados y después toca los genitales de una mujer, eso es suficiente para exponerse a un eventual contagio de esa ITS. Además, recuerda que este tipo de fajes (que son casi relaciones sexuales) hacen que cada vez quieras más, hasta que claramente llegues a tener una relación sexual. ¡Cuidado, nosotros no te las recomendamos!

Vannia, 18 años, Durango: No me queda claro, ¿cuál es la diferencia entre el VIH y el SIDA?

El VIH (Virus de Inmunodeficiencia Humana), como lo dice el nombre, es un virus. Una persona puede estar infectada por este virus, sin embargo, no estar enferma de SIDA (Síndrome de Inmunodeficiencia Adquirida). Esto quiere decir que la persona es portadora del virus en la sangre, pero no tiene síntomas (aunque sí puede infectar a otras personas). Incluso hay gente que puede llevar muchos años con el virus en la sangre, sin tener ningún síntoma, ni desarrollar el SIDA. Este virus mata las defensas del organismo (llamadas glóbulos blancos), por lo que el cuerpo se debilita poco a poco, hasta que estas defensas son mínimas, y entonces se desarrolla la enfermedad del SIDA.

Paulina, 18 años, Campeche: ¿Cómo podría darme cuenta si tengo una ITS?

Si no has tenido contacto sexual, no deberías tener una infección sexual; pero si ya tuviste relaciones sexuales podrías tener o no síntomas. Los más comunes son dolor al orinar, presencia de secreciones vaginales con características diferentes del flujo normal, prurito, comezón o irritación en la zona vaginal y dolor en la parte baja del abdomen.

Clara, 16 años, Culiacán: ¿Qué es el papiloma humano?, ¿tiene cura?

El virus del papiloma humano (VPH) es la infección sexual más común en jóvenes de 14 a 19 años de edad. Existen 40 tipos de papiloma humano relacionados con infecciones genitales. En la mayoría de los casos no hay síntomas, por esta razón la probabilidad de presentar infección por VPH es mayor mientras mayor sea el número de parejas sexuales que se tenga. En los casos en que sí hay síntomas, se presentan como verrugas en la zona genital.

No hay un tratamiento específico contra el VPH, pero si te ha aparecido una verruga genital debes acudir con el médico. La única forma de prevenirlo es no teniendo relaciones sexuales, mientras no tengas un compromiso para toda la vida y estés casada con un joven que no tenga la infección. Ahora, si ya tuviste relaciones sexuales, puedes tomar algunas medidas preventivas como acudir periódicamente al ginecólogo y realizarte las revisiones de rutina como el Papanicolaou.

UNIÓN LIBRE

Renata, 21 años, Mérida: La gente que vive en unión libre o que se junta, ¿sí está comprometida?

Aunque en este tipo de situaciones pueda existir cierto compromiso, éste nunca es al 100%, pues alguno de los dos o ambos no están completamente seguros de querer compartir toda la vida con la otra persona; por eso, no desean casarse, es decir, de alguna manera están probando lo que podría ser en un futuro el matrimonio. La mayoría de las parejas que tienen este tipo de relación terminan después de cierto tiempo, incluso algunas investigaciones han demostrado que hasta 50% de parejas que viven en unión libre se separan a los cinco años de haber tenido un hijo, a diferencia de aquellos que están casados. El matrimonio significa decir sí al compromiso con tu pareja, frente a tus padres, familiares y amigos; es querer darle al otro el lugar más importante en la vida, el lugar de esposo o esposa, es un vínculo real que permite que la familia se desarrolle de manera mucho más sana, que la mujer se sienta segura en la relación, y es el espacio ideal en que los hijos deben nacer y crecer.

Isabel, 25 años, Chihuahua: Llevo viviendo un año con mi pareja y, aunque le he comentado que me gustaría casarme, él no me hace mucho caso, me dice que así estamos bien… yo ya no sé qué pensar.

Muchas veces esta postura se vuelve muy cómoda para los hombres, pues viven los beneficios del matrimonio (la compañía, la sexualidad, el cuidado), pero no quieren asumir los compromisos. Si él no se quiere casar, tal vez no te quiere tanto como dice; si esto es así, la relación no vale la pena, pues la que saldrá más lastimada eres tú. Habla con él, valoren la situación; si no cambia de parecer, deberías valorar seguir o no con él.

Brenda, 20 años, Toluca: Mi novio y yo queremos vivir juntos, pero sé que mis papás no aceptan esta situación. Quiero irme de mi casa, ¿qué debo hacer?

Aunque parezca que tus padres pueden estarte reprimiendo o que no te comprenden, la realidad es que ellos siempre buscan lo mejor para ti; tal vez ven algo en esta situación que no les parece que sea lo mejor para tu futuro, y que por el contrario sólo te puede lastimar y hacer sufrir.

Aunque en la unión libre pueda existir cierto compromiso, éste nunca es al 100%, ya que alguno de los dos o ambos no están completamente seguros de querer compartir toda la vida con la otra persona; por eso, no desean casarse, es decir, que de alguna manera están probando lo que podría ser en un futuro el matrimonio; en consecuencia, la probabilidad de que estés cometiendo un error al tomar esa decisión es muy alta.

Un hombre que vale la pena y realmente te ama nunca va a tratar de ponerte en contra de tus padres, sino por el contrario, él va a respetarlos. El chavo que sinceramente te ama siempre quiere lo mejor para ti, va a anhelar que dejes tu casa para casarte y comprometerse frente a tus padres, los padres de él, sus familiares y amigos, no va a alentarte a huir de tu casa y romper con toda tu vida. De verdad, no te la juegues; si tu novio no te respeta ahora y no te da tu lugar, con el paso de los años no te va a tratar bien, te lo puedo asegurar. El joven que te quiera sabrá esperar, te respetará a ti y a tu familia, y se preparará para poderte ofrecer un futuro.

MASTURBACIÓN

Jimena, 22 años, Ciudad del Carmen: Quiero entender más sobre la masturbación, ¿es buena o qué consecuencias puede tener en mi salud?

Lo primero que debes saber es que el cuerpo es bueno y que el placer que se puede generar al entregarse y amar también lo es, pues permite la verdadera fusión de un hombre y una mujer cuando han decidido estar juntos toda la vida y casarse. Pero, ¿qué pasa con la masturbación? Uno decide vivir ese placer de una forma solitaria, egoísta, sin amar; esto te puede dejar con un vacío. Vivir la sexualidad, el tener relaciones sexuales, es la manera más íntima de entregar amor, es la expresión más personal entre un hombre y una mujer cuando están casados. Con la masturbación, no le expresas amor a nadie, es una práctica que no te deja satisfacción espiritual sino por el contrario, poco a poco empieza a crear una disociación entre la sexualidad y el amor, pues es una práctica egoísta. Además, ésta se asocia con la pornografía (debido a que para masturbarse generalmente se piensa en imágenes eróticas o pornográficas, por lo que esto también distorsiona la visión del amor) y puede generar adicción. Todo ese deseo que tengas guárdalo para el hombre que sea tu esposo, a quien ames y verás que dentro del matrimonio el placer llegará como la consecuencia del amor.

SEXTING

Vero, 16 años, La Paz: ¿El *sexting* es como un juego?

El *sexting* (sexo por texto) se ha puesto de moda entre adolescentes y jóvenes; consiste en el envío de mensajes eróticos o pornográficos de manera textual, fotografías o videos por parte del remitente a un destinatario específico, con diversas finalidades: coquetear o ligar a una persona, aceptación por parte de sus iguales para estar a la moda, necesidad de sentirse reconocidos ante los demás, baja autoestima, etc. Es decir, es el envío de contenidos de tipo sexual por medio del teléfono celular, contenidos producidos generalmente por quien los envía. En muchas ocasiones, estas imágenes o videos son solicitados por el novio o la novia (o amigos con derechos), lo que los convierte en una forma de chantaje afectivo al que acceden con facilidad los adolescentes social o emocionalmente más desprotegidos.

Al ser considerado un juego, se le quita importancia a la intimidad de dicha información; en muchos casos, termina en manos de otras personas, con lo que dichos contenidos pueden parar a cualquier sitio, desde otro celular hasta páginas pornográficas en internet. Muchas chicas que han realizado el *sexting* se sienten muy inseguras al pensar que sus fotografías desnudas o semidesnudas puedan estar en cualquier celular, o incluso en la red, en alguna página de Facebook. ¡El *sexting* no es un juego!

Y PARA
TERMINAR…

Capítulo 16

Espero que a lo largo de este libro hayas advertido de la gran aventura que llegará a ser tu vida y de cómo vivirás el *amor y la sexualidad* en el momento adecuado. Eres una mujer libre, inteligente y, por medio de tu voluntad, podrás elegir de manera correcta al hombre con quien compartir tu vida, tus sentimientos, tu historia, tus risas y llantos, y entregarte plenamente para construir una familia.

Te invito a que, a solas, analices tu vida, reflexiones sobre tus valores, tus principios, virtudes, defectos y todo aquello que te hace ser la persona tan especial que eres, que permitirá que, llegado el momento, el hombre de tu vida te descubra y, que ambos puedan compartirse, comprometerse, casarse y amarse.

Hay que darle tiempo al tiempo, debes tener paciencia, pues las relaciones que merecen la pena implican esfuerzo, espera, muchas horas de conversaciones, conocerse, superar las dificultades y permitir que el tiempo ponga las cosas en su lugar y uno pueda tener una perspectiva objetiva y clara de cada relación, sus implicaciones y sentimientos. Pregúntate: ¿Qué es lo que quieres? ¿Vivir el sexo como la cereza del pastel de bodas que durará toda la vida o como la cereza de coctel de un bar que sólo dura unas cuantas noches?

Aunque te sientas presionada por lo que ves en la televisión, en las telenovelas, revistas, internet, lo que hacen tus amigas o la insistencia de tu novio o del chico que te gusta, recuerda que la verdadera prueba de amor no es que la mujer tenga que entregarse en una relación sexual con su enamorado, sino que el hombre demuestre su capacidad de amor y sepa esperar hasta el matrimonio para tener relaciones sexuales. Ahí es en donde te darás cuenta de si él realmente te quiere o si en el fondo sólo quiere *junk sex* y "pasar un buen rato".

Tú tienes **derecho a decir:**

- No a los "amigos con derecho", "amigovios", *frees*, o relaciones sin compromiso.
- No a la presión de tu novio o tus amigas para tener sexo.
- No a tener que vivir juntos antes de casarse.
- No a ser la "amiguita con derechos" del chico que te guste.
- No a lastimar tu salud usando anticonceptivos.

Y **puedes exigir:**

- Esperar para el noviazgo; primero tener muchos, pero muchos amigos.
- Al momento del noviazgo, vivirlo sin sexo, para que te sientas segura y tranquila contigo misma, y así puedes elegir al chico con quién compartir tu vida y casarse.
- Vivir un noviazgo sin violencia.
- Vivir un noviazgo donde tú seas la prioridad, y te traten con respeto y cuidado, como lo que tú mereces.
- Aspirar al matrimonio, a casarte con un buen chico que te quiera, que puedan vivir felices juntos.

La verdadera reivindicación de la mujer no es que ella viva el *junk sex*, consuma anticonceptivos, tenga relaciones sexuales con diferentes personas y se comporte como generalmente se comporta el hombre; por el contrario, la **mujer libre** se dignifica cuando ella pone todas las condiciones para que el hombre la respete, la cuide, la vea como su igual, se elijan mutuamente, se comprometa con ella y se casen, vivan juntos la paternidad responsable y encuentren en la sexualidad el acto que les permita fusionarse en uno solo.

Recuerda estos **20 consejos:**

1. Tu sexualidad eres tú, es tu persona; es buena, maravillosa, el mejor regalo de la vida para amar, y el verdadero amor se vive hasta que uno se casa.

2. Eres única, no existe nadie como tú. Eres bella, valiosa y los chicos deben tratarte con respeto, como a una princesa, pues no mereces menos.

3. No tengas novio en la adolescencia, espérate hasta que tengas 20 años. Aprovecha, sal y conoce a todos los chicos que puedas, ten amigos, muchos amigos, buenos amigos y así aprenderás a elegir.

4. No debes rebajarte nunca para salir con alguien. Si el chico que te gusta no te busca, es porque no te está valorando; y si no te valora es que no es para ti.

5. No olvides que en las relaciones de "amigos con derechos", "amigovios" o *frees*, el hombre goza de derechos, pero no tiene obligaciones contigo, lo cual te pone en el papel de su esclava, es decir, de su esclava sexual.

6. Los fajes y el sexo no te ayudarán a conocer al chico que te gusta –ya sea tu novio o no– sólo te nublarán la vista, te unirán a él y no te permitirán ver cuál es la realidad.

7. Un verdadero hombre es valiente, da la cara, se hace responsable de sus actos, defiende a los débiles y respeta a las mujeres.

8. Si el chico que te gusta o tu novio te habla mal, alguna vez ha intentado lastimarte o te ha sido infiel de cualquier forma, déjalo. Aunque te prometa que cambiará, no lo va a hacer. Si no terminas la relación, puedes lamentarlo toda tu vida.

9. Si notas que dentro del noviazgo, tú estás mucho más comprometida que tu chico, deberás platicarlo con él, analizar la situación y ver cómo responde ante esto. Mereces alguien para quien seas lo más importante y que tenga el mismo nivel de compromiso que tú.

10. Si ya has tenido relaciones sexuales, no importa. Siempre existe una segunda oportunidad y puedes volver a empezar. Tú tienes derecho a decir NO AL SEXO hasta que te cases, y vivir la segunda virginidad.

11. Si actualmente tienes relaciones sexuales con tu novio, vivan su prueba de amor, dejen de tener sexo por completo. Así podrán darse cuenta si realmente son el uno para el otro; si te quiere y no te está valorando sólo por el sexo. Pues si al quitar el sexo únicamente discuten y pelean, es porque su relación no tenía sustento en el amor. Pero si al final terminan juntos, qué paz sentirás al saber que él está ahí por ti y no por el sexo; que te quiere por lo que eres y no por lo que le das.

12. Pon en alto tu nivel de exigencia. No importa lo que hayas hecho ni con quién, eres digna de que te esperen y mereces lo mejor. Y si el chico no quiere esperar y te presiona para hacer esto o aquello, déjalo, pues no es digno de ti.

13. Tu vida empezó desde el momento en que el espermatozoide de tu papá fecundó al óvulo de tu mamá. La vida de toda persona merece el mismo respeto que tuvo la tuya para permitirte nacer. Cualquier cosa que ocurra para evitar que una nueva vida continúe desde la fecundación, se llama aborto.

14. El condón no es tu "salvavidas". Nunca te protegerá totalmente de las más de 30 infecciones sexuales, de un embarazo en la adolescencia; tampoco lo hará de las decepciones amorosas ni de unirte con la persona con quien tengas relaciones sexuales antes de casarte.

15. No te dejes engañar; puedes estar segura de que el chico que quiere tener relaciones sexuales en el noviazgo, no te ama; está pensando en él, en su gusto, en lo que desea; no en ti ni en lo que realmente es bueno para tu tranquilidad y tu salud.

16. La píldora del día siguiente no es tu "mejor amiga", por el contrario, es una "bomba de hormonas" que puede lastimar tu cuerpo y te hará sentir usada, poco querida y poco valorada.

17. ¡Alerta!, el dispositivo intrauterino, conocido como DIU puede actuar como abortivo en el cuerpo de la mujer, pues evita que después de la fecundación, esa pequeñísima persona llamada cigoto se pueda anidar o implantar en el útero de su mamá.

18. No caigas en la trampa; la generación YOLO (you only live once, sólo se vive una vez), no te dejará nada bueno; por el contrario, puede encaminarte a tener conductas que puedes lamentar toda tu vida. ¿Por qué no lo cambias por el nuevo YOLO? (you only love once, sólo se ama una vez), y empiezas a aprender cómo descubrir y elegir al único amor de tu vida, quien será una de las decisiones más importantes que deberás tomar para ser feliz.

19. Si tienes dudas sobre sexualidad, acércate a tus papás. Tu mamá y tu papá te están esperando para orientarte y platicar todo contigo. Recuerda que en temas de hombres, tu papá es tu mejor consejero, pues alguna vez él fue joven también.

20. El príncipe azul sí existe, es el hombre por quien vale la pena jugárselo todo, dar la vida misma; pero para reconocerlo tienes que comportarte a su altura y debes elegirlo con la cabeza fría, los sentimientos en su lugar y darle tiempo al tiempo.

Todos queremos amar y ser amados; para eso estamos en este mundo, pero no confundas el amor con el deseo. La atracción que puedan sentir un hombre y una mujer para tener relaciones sexuales es normal y no existe nada de malo en ello, pero vale la pena guardar estos sentimientos para aquel que vaya a ser tu esposo, y de esta forma entregarse por completo cuando el amor, la fidelidad y el compromiso para toda la vida sea lo que mueva sus corazones.

Para que una relación dure para toda la vida, sea plena y feliz, es necesario que ambos se hayan elegido de manera objetiva, hayan conversado de todo, se hayan valorado en distintas situaciones y sobre todo que dentro del matrimonio exista un compromiso de fidelidad para toda la vida, lo que les permitirá vivir la sexualidad a plenitud y lograr ser la unión de uno solo, hasta el último día de sus vidas, así como formar una familia.

CUESTIONARIO FINAL

Estas preguntas son las mismas que aparecen al principio del libro. Contéstalas de la forma más sincera posible; compáralas con la primera vez que las contestaste para ver qué te dejó este libro.

¿Qué es para ti la sexualidad? _____

_____

¿Para qué sirve la sexualidad? _____

_____

¿Para ti, la sexualidad es mala o buena? _____

_____

¿Qué es el amor? _____

_____

¿Alguna vez has amado a alguien, a quién? _____

_____

¿Por qué crees que has amado, qué sentías, cómo lo vivías?

_____

_____

¿En qué momento crees que uno debe tener relaciones sexuales?

_____

_____

ANEXO.
POR SI TIENES DUDAS,
CONOCE TU CUERPO

Cada parte de nuestro cuerpo tiene una razón de ser. El corazón late para llevar sangre, oxígeno y nutrientes a todo el cuerpo; los pulmones permiten el intercambio de gases para tener oxígeno, nuestros músculos permiten el adecuado movimiento del cuerpo, y así cada parte tiene un objetivo.

De la misma forma, nuestros órganos reproductivos, tanto en el hombre como en la mujer, tienen una razón, un objetivo que cumplir. Es común –como habrás visto en tus cuadernos del colegio, en libros o en internet– que le denominen o llamen "aparato reproductor femenino o masculino", pero déjame decirte que éste no es un aparato como el aparato de televisión, la computadora, un celular o algo así; no es un aparato, es "la fuente de la vida", pues gracias a él, las niñas y niños se convierten en mujeres y hombres; podrán vivir y expresar el amor en la edad adulta para algún día ser madres y padres.

Los órganos reproductores femenino y masculino son los encargados de permitir la reproducción humana, es decir, que gracias a tus órganos reproductores un día podrás ser mamá. Cada uno de estos órganos tiene una función específica y muy importante; tanto en la mujer como en el hombre, los órganos de la reproducción se componen de órganos internos y externos.

ÓRGANOS SEXUALES FEMENINOS

Los **órganos sexuales internos en la mujer** están formados por:

1. Ovarios: son 2 órganos como del tamaño de una gran almendra que producen gametos femeninos u ovocitos, y se encuentran en la zona de la pelvis. Son similares a los testículos en el hombre, pero éstos no están por fuera del cuerpo, sino en la cavidad abdominal. El proceso de formación de los óvulos se llama ovogénesis; se realiza dentro de los ovarios en una especie de pequeños saquitos llamados folículos que protegen y nutren el óvulo. Cada folículo contiene un solo óvulo, que madura cada 28 días, aproximadamente. Los ovarios también producen unas hormonas llamadas estrógenos y progesterona, que permiten el crecimiento y aparición de los "caracteres sexuales secundarios", es decir, que estas hormonas permiten que tu cuerpo de niña se vuelva un cuerpo de mujer, así como promueven la aparición de vello axilar y púbico, el desarrollo de las mamas, el crecimiento de las caderas y la formación de un cuerpo femenino, y también promueven que los órganos sexuales de la mujer crezcan y se preparen para un posible embarazo en la edad adulta.

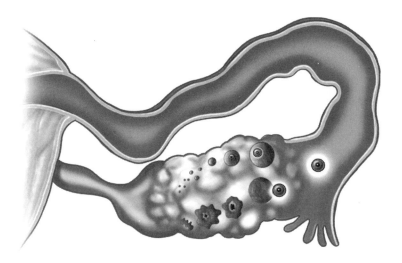

Figura A.1. Liberación del óvulo.
♂♀♂♀♂♀♂♀♂♀♂♀♂♀♂♀♂♀

Toda mujer tiene, desde su nacimiento, aproximadamente 400 000 ovocitos u óvulos inmaduros en sus ovarios. Estos ovocitos inmaduros están detenidos en su desarrollo. Al llegar la adolescencia, gracias a las hormonas, mes a mes, uno de estos ovocitos u óvulos se desarrollará lo suficiente hasta salir del ovario. Cuando este ovocito no es fecundado por un espermatozoide, entonces se presenta la menstruación.

2. Trompas de Falopio: son 2 conductos de entre 10 y 13 cm que comunican a los ovarios con el útero. Cuando se da una relación sexual y la mujer se encuentra en periodo fértil, es decir, cuando hay ovulación, es en las trompas de Falopio donde se da la fecundación, es decir, la unión del óvulo y el espermatozoide. En este preciso instante es cuando se inicia la vida de una nueva persona. A medida que esta nueva persona, llamada cigoto, se divide, viaja por las trompas de Falopio hacia el útero.

3. Útero: es un órgano hueco y musculoso en forma de pera, en donde en caso de embarazo, el bebé (embrión y feto durante todo el embarazo) crecerá y se desarrollará por 9 meses. La pared interior del útero se llama endometrio, es una delgada capa de nutrientes que, desde la primera menstruación, mes a mes se prepara para la llegada de una nueva vida. Cuando no existe embarazo, el útero se renueva, se limpia y se produce la menstruación. Este órgano es tan especial, pues en él se aloja la vida, es la cunita del bebé dentro de su mamá. Todos los meses tiene que renovarse, tiene que limpiarse y prepararse para la llegada de una nueva vida, por esto ocurre la menstruación. Esta es la preparación del cuerpo mes a mes, para que en la edad adulta pueda alojar, cuidar y alimentar una nueva vida.

4. Vagina: es el canal que comunica al útero con el exterior; es el conducto por donde entrarán los espermatozoides. Su función es recibir al pene durante la relación sexual y permitir la salida del bebé durante el parto.

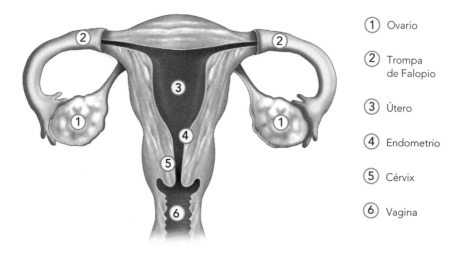

1. Ovario

2. Trompa de Falopio

3. Útero

4. Endometrio

5. Cérvix

6. Vagina

Figura A.2. Órganos reproductores internos de la mujer.

En la mujer, al conjunto de **órganos sexuales externos** se le conoce como la vulva que está compuesta por:

1. Monte de Venus: una almohadilla de tejido adiposo y de grasa en la cara anterior de la pelvis, cubierto de vello púbico y con glándulas sebáceas y sudoríparas.
2. Clítoris: es un pequeño órgano compuesto por tejido eréctil y muy sensible.
3. Labios: son pliegues de piel salientes, existen dos labios mayores y dos labios menores, uno de cada lado; tienen glándulas sebáceas y sudoríparas, lo que hace que sea una zona de mucha humedad.
4. Vestíbulo vulvar: área en forma de almendra perforado por seis orificios, el meato de la uretra (que es por donde se orina), el orificio vaginal (entrada de la vagina), las glándulas de Bartollini y las glándulas parauretrales de Skene (ambas secretan una pequeña cantidad de líquido que ayuda a lubricar los labios vaginales).

Los órganos reproductores externos femeninos (genitales) tienen dos funciones: permitir la entrada del esperma en el cuerpo y proteger los órganos genitales internos de infecciones.

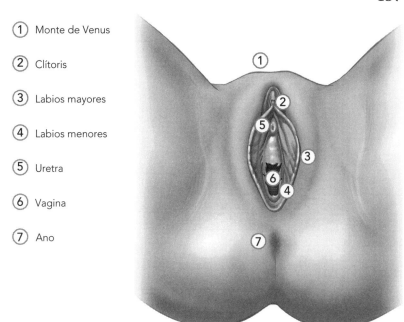

① Monte de Venus

② Clítoris

③ Labios mayores

④ Labios menores

⑤ Uretra

⑥ Vagina

⑦ Ano

Figura A.3. Órganos reproductores externos de la mujer.

¿Qué es la menarquia? La menarquia es el nombre que se le da a la primera menstruación. Esta primera menstruación es un acontecimiento muy importante en la vida de toda mujer, pues nos indica que nuestro cuerpo está preparándose tanto física como psicológicamente para algún día poder ser madre. Se da generalmente entre los 11 y 16 años. Aunque la menstruación puede ser incómoda, debes tener claro que tiene un gran valor; es posible que las primeras veces tengas muchas dudas sobre esto, por lo que te aconsejo que acudas con tu mamá para platicarlo. Nadie mejor que ella podrá entenderte, pues al igual que tú vivió lo mismo hace muchos años.

El sangrado de la menstruación es el resultado del desprendimiento del endometrio (la capa más interna del útero), que se prepara mes con mes para un embarazo; pero al no presentarse éste, todo ese tejido debe ser renovado, es decir, el útero debe limpiarse para volver a regenerarse mes a mes. Recordemos que el útero es el órgano que guarda o alberga la vida; dentro del útero, el bebé que no ha nacido (que dentro del cuerpo de la mujer se llama embrión y después feto) vivirá 9 meses desde su fecundación hasta el momento del parto; por eso es que este tejido llamado endometrio tiene que eliminarse y renovarse mes a mes, esperando la llegada de un bebé en la edad adulta.

¿Qué es el ciclo menstrual? Se le conoce como ciclo menstrual al periodo durante el cual el cuerpo de la mujer se prepara para un eventual embarazo. Comienza el primer día de la menstruación y termina el primer día de la siguiente menstruación. En general, dura 28 días, pero se considera normal entre 21 y 35 días, aunque durante los primeros años que se presenta la menstruación, pueden existir ciclos mucho más largos o cortos, y esto es normal durante la adolescencia.

Todas las mujeres normales nacen con alrededor de 400 mil óvulos en sus ovarios, que se encuentran inmaduros. El inicio del desarrollo sexual durante la pubertad permite que madure el primer óvulo y, por lo tanto, es el comienzo del primer ciclo menstrual, situación que puede ocurrir entre los 10 y los 15 años de edad, a lo que ya vimos se le llama menarquia.

Antes de la llegada de la primera menstruación, es común que una niña o adolescente presente, por acción de las hormonas (los estrógenos y la progesterona), cambios en su cuerpo, como aumento en la estatura, ensanchamiento de la cadera, secreciones vaginales claras y crecimiento de vello en el pubis y las axilas, así como el crecimiento de las mamas o los senos. Todo esto es normal y son cambios muy importantes que toda niña vivirá para convertirse con el paso de los años en una mujer. Es muy importante que si tienes más dudas sobre este tema, te acerques a tu mamá y a tu papá; pero sobre todo a tu mamá, pues nadie mejor que ella te podrá orientar.

¿Qué es la menopausia? La menopausia es la época de la vida de una mujer en la cual deja de tener menstruaciones. Suele ocurrir naturalmente, con mayor frecuencia entre los 45 y 50 años. La menopausia se produce porque los ovarios de la mujer dejan de producir hormonas, tales como el estrógeno y la progesterona. Una mujer llega a la menopausia cuando no tiene un periodo menstrual durante un año. Los cambios y los síntomas pueden empezar varios años antes. Incluyen: cambio en las menstruaciones, éstas pueden ser más o menos duraderas, más o menos profusas, con más o menos tiempo entre los periodos, calores y/o sudoración nocturna, dificultad para dormir, cambios de humor, dificultad para concentrarse, menos cabello y más vello facial.*

ÓRGANOS REPRODUCTORES MASCULINOS

El aparato reproductor masculino; también se puede dividir en interno y externo. Dentro de los **órganos reproductores internos masculinos** encontramos:

1. Testículos: son dos órganos de forma ovalada que se encuentran uno a cada lado del pene. Están cubiertos por el escroto. Su función consiste en la producción de espermatozoides y en la elaboración de hormonas masculinas. Como ya vimos, son semejantes a los ovarios en las mujeres.
2. Epidídimo: son dos estructuras pequeñas en forma de coma, enrollados, cada uno encima de los testículos. Aquí es donde se almacenan los espermatozoides, mientras son expulsados.
3. Conductos deferentes: son responsables de comunicar el epidídimo con los conductos eyaculadores y ayuda a transportar a los espermatozoides.
4. Vesículas seminales: son receptáculos membranosos situados entre la vejiga y el recto que colaboran con la mayor producción de líquido seminal. Comunican los conductos deferentes con los conductos eyaculadores.
5. Conductos eyaculadores: son los responsables de unir a la vesícula seminal, atravesando la próstata y uniéndose a la uretra.
6. Uretra: es un conducto largo que va desde la vejiga hasta el orificio externo situado en la punta del pene; mide de 17.5 a 20 cm de largo. El glande es el extremo o el final del pene y por ahí desemboca la uretra.
7. Próstata: es una cápsula fibrosa densa formada de tejido glandular y muscular, constituida por túbulos que abren en la uretra. Tiene el tamaño de una castaña y está situada de-

* Disponible en: <http://www.nlm.nih.gov/medlineplus/spanish/menopause.html>.

bajo del orificio uretral interno. Es importante mencionar que secreta el líquido prostático.

8. Glándulas bulbouretrales o de Cowper: están situadas una a cada lado de la próstata y su tamaño es similar a un chícharo. Secretan líquidos necesarios para la capacitación de los espermatozoides.

Dentro de los **órganos reproductores externos masculinos** encontramos:

1. Escroto: es un conjunto de túnicas que envuelven a los testículos. Su estructura es de piel delgada y oscura con numerosos pliegues, músculo y vasos sanguíneos.

2. El pene: sirve para la salida tanto de orina como de semen. Es el órgano de la copulación del hombre, es decir, que dentro de la relación sexual el pene entra en la vagina de la mujer y deposita el semen, lo que se denomina eyaculación. El pene se encuen-

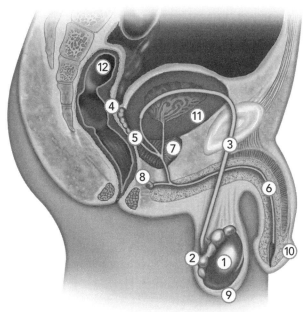

1 Testículo
2 Epidídimo
3 Conducto deferente
4 Vesícula seminal
5 Conducto eyaculatorio
6 Uretra
7 Próstata
8 Glándula bulbouretral (Glándula de Cowper)
9 Escroto
10 Glande del pene
11 Vejiga
12 Recto

Figura A.4. Órganos reproductores masculinos.

tra encima de las bolsas del escroto. La piel del pene se repliega para formar el prepucio que cubre el glande y el orificio externo del pene. En algunos casos a los bebés recién nacidos se les realiza la circuncisión por medio de la cual se les retira el prepucio, por lo que el glande queda expuesto. En muchos casos esto se lleva a cabo por cuestiones religiosas y en otras para evitar infecciones posteriores dentro del prepucio.

El semen es el líquido secretado por las glándulas sexuales del hombre. Contiene alrededor de 70 millones de espermatozoides por milímetro cúbico y se excreta durante la eyaculación.

En la pubertad, las células germinales masculinas situadas en los testículos o gónadas masculinas, se activan y dan lugar al comienzo de la formación de los espermatozoides, que son las células sexuales masculinas. En los hombres, la formación de los espermatozoides se acompaña de cambios en su cuerpo, conocidos como caracteres sexuales secundarios, como el crecimiento de estatura, el aumento de la musculatura, la voz se vuelve más ronca, el crecimiento de vello púbico, axilar y en todo el cuerpo; sale barba y bigote, y los genitales crecen de tamaño.

Como ves, la pubertad es una etapa muy importante en el desarrollo de cada persona y durante la adolescencia estos cambios seguirán presentándose hasta llegar a la edad adulta. Si has notado que empiezas a tener estos cambios o ya los has tenido y tienes dudas, pregunta, acércate a tus papás, especialmente a tu mamá; pues ella fue adolescente como tú y podrá orientarte mejor que nadie sobre todos estos cambios que tu cuerpo está experimentando.

GLOSARIO DE TÉRMINOS

Bomba hormonal: Se refiere al uso de la píldora del día siguiente; es una bomba de hormonas porque, en la mayoría de éstas, la dosis de dos píldoras equivale a todo un mes de anticonceptivos.

Embarazo: El embarazo se refiere a la presencia de una nueva vida humana dentro del vientre de su madre, que por lo general durará 40 semanas. Éste se inicia desde el momento de la fecundación, es decir, desde el preciso instante en que se fusionan el espermatozoide del hombre y el óvulo de la mujer dentro del cuerpo de ella. Desde este momento existe una persona única e irrepetible, con todo su material genético, con identidad propia y sobre todo con "autonomía" (es decir, con fuerza interior que le permite crecer y desarrollarse sólo durante nueve meses, que durará el embarazo, y después, de su nacimiento hasta la muerte).

Familia natural: Familia formada por el papá y la mamá que se han comprometido, se han casado. Sus hijos han nacido de forma natural, es decir, posterior a una relación sexual entre sus padres.

Mutilación genital: Práctica por la cual se cortan los conductos deferentes en el hombre o las trompas uterinas en la mujer sin ninguna causa médica de enfermedad, sino para no tener hijos. Se les conoce como vasectomía y salpingoclasia, respectivamente.

Sexo anal: Se refiere a tener relaciones sexuales por el ano. Son relaciones peligrosas desde el punto de vista físico. Cada parte del cuerpo tiene una razón de ser, un objetivo que cumplir. Así como la vagina está hecha para recibir la entrada del pene, el ano, que es la última parte del sistema digestivo, está hecho para almacenar materia fecal y desecharla. El ano está conformado por una piel interna muy delicada, que tiene muchos vasos sanguíneos. Por tanto, al tener una relación anal, se lleva a cabo mucha presión en esta zona y pueden presentarse microfracturas, lo que vuelve al cuerpo mucho más vulnerable para contagiarse de una infección sexual; además de que esta zona termina muy lastimada y pueden haber problemas posteriores para la defecación. Desde el punto de vista psicológico, las relaciones anales son violentas y no contribuyen a un ambiente de amor y cariño que debe haber en una relación sexual. Tener sexo anal es tan ilógico como comer por la nariz.

Sexo basura: Es todo sexo que se vive fuera de un contexto de amor, compromiso y exclusividad, es decir, el sexo que se vive fuera de una relación para toda la vida: es tan sólo basura que daña tu cuerpo, tu mente y tu espíritu. ¡Es sexo podrido!

Sexo oral: Se entiende como la estimulación de los genitales masculinos y femeninos con la boca, así como la eyaculación del hombre dentro de la boca de la mujer. Es una práctica que aumenta el riesgo de contraer infecciones sexuales en la boca, como papiloma y herpes, lo que contribuye a un aumento en el cáncer de boca y garganta. En este tipo de prácticas generalmente la mujer es usada por el hombre para "satisfacer" sus deseos y evitar un embarazo, más que para amar. Son relaciones poco personales, que no contribuyen a un ambiente de amor, respeto y cariño que debe haber en una relación sexual.

Sexo plástico: Es el sexo que se da como resultado del uso del condón. Es una relación plástica, lejana y desconfiada, donde existe una barrera física, emocional y espiritual entre ambos.

Sexo seguro: Es el sexo que se vive para amar; pensado en el otro antes que en uno. Es una relación sexual dentro de un contexto de amor, fidelidad para toda la vida y exclusividad, es decir, dentro del matrimonio. Es el sexo libre, total, fiel y fecundo. El único sexo que te hace crecer como persona desde el punto de vista emocional y espiritual.

REFERENCIAS BIBLIOGRÁFICAS

Akkaya, T., D., Ozkan, Chronic post-surgical pain, vol. 21, núm. 1, Agri, 2009 Jan.

Ancel, P. Y. *et al.*, History of induced abortion as a risk factor for preterm birth in European countries: results of the EUROPOP survey, vol. 19, núm. 3, Hum Reprod, 2004.

Antic, L. G. *et al.*, Differencies in risk factors for cervical dysplasia with the applied diagnostic method in Serbia, vol. 15, núm. 16, Asian Pac J Cancer Prev., 2014.

Antoniou, A.C., *et al.*, Reproductive and hormonal factors, and ovarian cancer risk for BRCA1 and BRCA2 mutation carriers: results from the International BRCA1/2 Carrier Cohort Study, vol. 18, núm. 2, Cancer Epidemiol Biomarkers Prev, 2009 Feb.

Appleby, L., Suicide during pregnancy and in the first postnatal year, núm. 302, BMJ, 1991.

Ashok, P. W. *et al.*, Templeton A. Mifepristone versus the Yuzpe regimen (PC4) for emergency contraception, vol. 87, núm. 2, Int J Gynaecol Obstet, 2004.

Awsare, N. S. *et al.*, Complications of vasectomy, vol. 87, núm. 6, Ann R Coll Surg Engl, 2005 Nov.

Baeten, J. M. *et al*, Hormonal contraception and risk of sexually transmitted disease acquisition: Results from a prospective study, núm. 185, Am J Obstet Gynecol, 2001, pp. 380-385.

Baillargeon, J. P. *et al.*, Association between the current use of low-dose oral contraceptives and cardiovascular arterial disease: a meta-analysis, vol. 90, núm. 7, J Clin Endocrinol Metab, 2005.

Berenson, A. B. *et al.*, Complications and Continuation of Intrauterine Device Use Among Commercially Insured Teenagers, vol. 121, núm. 5, Obstet Gynecol, 2013 May.

Bernstein, L., The risk of breast, endometrial and ovarian cancer in users of hormonal preparations, vol. 98, núm. 3, Basic Clin Pharmacol Toxicol, 2006.

Billings, E. L. *et al.*, Symptoms and hormonal changes accompanying ovulation, vol. 1, núm. 7745, Lancet, 1972.

Blackard, J. T., K. H., Mayer, HIV superinfection in the era of increased sexual risk-taking, vol. 31, núm. 4, Sex Transm Infect, 2004.

Brindis, C. D., A public health success: understanding policy changes related to teen sexual activity and pregnancy, núm. 27, Annu Rev Public Health, 2006.

Brook, D. *et al.*, Drug use and the risk of major depressive disorder, alcohol dependence, and substance use disorders, vol. 59, núm. 11, Archives of General Psychiatry, 2002.

Buttmann, N. *et al.*, Sexual risk taking behaviour: prevalence and associated factors. A population-based study of 22,000 Danish men, núm. 11, BMC Public Health, 2011.

Cavazos-Rehg, P. A. *et al.*, Substance use and the risk for sexual intercourse with and without a history of teenage pregnancy among adolescent females, vol. 72, núm. 2, J Stud Alcohol Drugs, 2011.

Cayley, W., Effectiveness of condoms in reducing heterosexual transmission of HIV, vol. 70, núm. 7, Am Fam Physician, 2004.

CDC, Incidence, Prevalence, and Cost of Sexually Transmitted Infections in the United States, 2013.

CDC, Sexually Transmitted Disease Survillance, Atlanta, GA: USA, 2004. Department of Health and Human Services, CDC, National Center for HIV, STD and TB Prevention, 2005.

Centers for Disease Control and Prevention, Division of HIV/AIDS Prevention, Fact Sheet, Young People at Risk: HIV/AIDS Among American's Youth, Department of Health and Human Services, Atlanta, 2003.

Chagas de Almeida, M. C., E. M., Aquino, Adolescent pregnancy and completion of basic education: a study of young people in three state capital cities in Brazil, vol. 27, núm. 12, Cad Saúde Pública, 2011.

Chasan-Taber, L., M. J., Stampfer, Epidemiology of oral contraceptives and cardiovascular disease, vol. 128, núm. 6, Ann Intern Med, 1998.

Chen, M. Y. *et al.*, Chlamydia trachomatis infection in Sydney women, núm. 45, Aust N Z J Obstet Gynaecol, 2005.

Chen, X. K. *et al.*, Increased risks of neonatal and postneonatal mortality associated with teenage pregnancy had different explanations, vol. 61, núm. 7, J Clin Epidemiol, 2008.

Chen, X. K. *et al.*, Teenage pregnancy and adverse birth outcomes: a large population based retrospective cohort study, vol. 36, núm. 2, Int J Epidemiol, 2007.

Chiaradonna, C., The Chlamydia cascade: enhanced STD prevention strategies for adolescentes, núm. 21, J Pediatr Adolece Gynecol, 2008.

Cibula, D. *et al.*, Hormonal contraception and risk of cancer, vol. 16, núm. 6, Hum Reprod Update, 2010 Nov-Dec.

Cleland, K. *et al.*, Ectopic pregnancy and emergency contraceptive pills: a systematic review, vol. 115, núm. 6, Obstet Gynecol, 2010 Jun.

Coleman, P. K. *et al.*, Reproductive history patterns and long-term mortality rates: a Danish, population-based record linkage study, Eur J Public Health, 2012 Sep 5.

Coleman, P. K., Abortion and mental health: quantitative synthesis and analysis of research published 1995-2009, núm. 3, Br J Psychiatry, 2011 Sep.

Coleman, P. K., D. C., Reardon *et al.*, A history of induced abortion in relation to substance use during subsequent pregnancies carried to term, vol. 187, núm. 6, Am J Obstetrics and Gynecology, 2002 Dec.

Coleman, P. K., D. C., Reardon *et al.*, Substance use among pregnant women in the context of previous reproductive loss and desire for current pregnancy, núm. 10 (Pt 2), Br J Psychiatry, 2005 May.

Colombo, B., G., Masarotto, Daily fecundability: first results from a new data base, vol. 6, núm. 3, Demogr Res, 2000.

Connell, C. M. *et al.*, A multiprocess latent class analysis of the co-occurrence of substance use and sexual risk behavior among adolescents, vol. 70, núm. 6, J Stud Alcohol Drugs, 2009.

Cougle, J. R. *et al.*, "Generalized anxiety following unintended pregnancies resolved through childbirth and abortion: a cohort study of the 1995 National Survey of Family Growth" en Journal of anxiety disorders, vol. 19, núm. 1, 2005.

Coyle, K. K. *et al.*, Condom Use: Slippage, Breakage, and Steps for Proper Use Among Adolescents in Alternative School Settings, vol. 82, núm. 8, J Sch Health, 2012.

Crosby, R. A. *et al.*, Condom effectiveness against non-viral sexually transmitted infections: a prospective study using electronic daily diaries, vol. 88, núm. 7, Sex Transm Infect, 2012 Nov.

Crosby, R. A. *et al.*, Condoms are more effective when applied by males: a study of young black males in the United States, pii: S1047-2797(14)00368-8, Ann Epidemiol, 2014 Aug 7.

Crosby, R. A. *et al.*, Value of consistent condom use: a study of sexually transmitted disease prevention among African American adolescent females, vol. 93, núm. 6, Am J Pub Health, 2003.

Crosby, R. *et al.*, Design, measurement, and analytical considerations for testing hypotheses relative to condom effectiveness against non-viral STIs, núm. 78, Sex Transm Inf, 2002.

Crosby, R. *et al.*, Slips, breaks and "falls": condom errors and problems reported by men attending an STD clinic, vol. 19, núm. 2, Int J STD AIDS, 2008.

Crosby, R., S., Bounse, Condom effectiveness: where are we now?, núm. 9, Sexual Health, 2012.

Cunnington, A. J., What's so bad about teenage pregnancy?, vol. 27, núm. 1, J Fam Plann Reprod Health Care, 2001.

Da Ros, C. T., S. C., Da Silva, Global epidemiology of sexually transmitted diseases, vol. 10, núm. 1, Asian J Androl, 2008.

De Irala, J., El valor de la espera, Editorial Palabra, Madrid, 2011.

De Leizaola, M. A., Etude prospective d'efficacité d'une méthode sympto-thermique récente de planning familial natural, núm. 27, J Gynecol Obstet Biol Reprod, 1998.

De Villiers, E. M. *et al.*, Classification of papillomaviruses, núm. 324, Virology, 2004.

Deardorff, J. *et al.*, Early puberty and adolescent pregnancy: the influence of alcohol use. Pediatrics, vol. 116, núm. 6, 2005.

Dehne, K. L., G, Riedner, Sexually transmitted infections among adolescents: the need for adequate health services, Geneve: World Health Organization, 2005.

Denisov, B. P., V. I., Sakevich *et al.*, Divergent trends in abortion and birth control practices in belarus, vol. 7, núm. 11:e49986, PLoS One, Russia and Ukraine, 2012.

Desteli, G. A. *et al.*, Thrombocytosis and small bowel perforation: unusual presentation of abdominopelvic actinomycosis, vol. 7, núm. 12, J Infect Dev Ctries, 2013 Dec 15.

Dias, D. S. *et al.*, Clinical and psychological repercussions of videolaparoscopic tubal ligation: observational, single cohort, retrospective study, Sao Paulo Med J, 2014 Aug 22.

Dickerson, L. M. *et al.*, Satisfaction, early removal, and side effects associated with long-acting reversible contraception, vol. 45, núm. 10, Fam Med, SEBAS, 2013 Nov-Dec.

Dimech, W. *et al.*, Analysis of laboratory testing results collected in an enhanced chlamydia surveillance system in Australia, núm. 14, 2008-2010, BMC Infect Dis, 2014.

Djoba-Siawaya, J. F., Chlamydia trachomatis, Human Immunodeficiency Virus (HIV) Distribution and Sexual Behaviors across Gender and Age Group in an African Setting, vol. 9, núm. 3, Plos one, 2014.

Donoso Siña, E. *et al.*, Birth rates and reproductive risk in adolescents in Chile 1990-1999, vol. 14, núm 1, Rev Panam Salud Pública, 2003.

Donovan, B., Sexually transmissible infections other than HIV, núm. 363, Lancet, 2004.

Durand, M. *et al.*, On the mechanism of action of short-term levonorgestrel administration in emergency contraception, vol. 64, núm. 4, Contraception, 2001.

Eckert, L. O., G. M., Lentz, Capítulo 23 "Infections of the Lower and Upper Genital Tract: Vulva, Vagina, Cervix, Toxic Shock Syndrome, Endometritis, and Salpingitis" en Comprehensive Gynecology, 6th ed., Philadelphia, Pa: Mosby Elsevier, 2012.

Encuesta de Capital Social en el Medio Urbano 2006 (ENCASU-2006), Secretaría de Desarrollo Social-Instituto Nacional de Salud Pública.

Fergusson, D. M. *et al.*, Abortion in young women and subsequent mental health, vol. 47, núm. 1, J Child Psychol Psychiatry, 2006.

Feroli, K. L., G. R., Burstein, Adolescent sexually transmitted diseases: new recommendations for diagnosis, treatment and prevention, vol. 28, MCN Am J Mater Child Nurs, 2003.

Fine, P. *et al.*, Ulipristal acetate taken 48-120 hours after intercourse for emergency contraception, vol. 115 (2 Pt 1), Obstet Gynecol 2010.

Flynn, A. M., S. S., Lynch, Cervical mucus and identification of the fertile phase of the menstrual cycle, vol. 83, núm. 8, Br J Obstet Gynaecol, 1976.

Food and Drug Administration Office of Surveillance and Epidemiology. Combined hormonal contraceptives (CHCs) and the risk of cardiovascular disease endpoints.

Forhan, S. E. *et al.*, Prevalence of sexually transmitted infections among female adolescents aged 14 to 19 in the United States, vol. 124, núm. 6, Pediatrics, 2009.

Frank-Herrmann, P. *et al.*, The effectiveness of a fertility awareness based method to avoid pregnancy in relation to a couple's sexual behavior during the fertile time: a prospective longitudinal study, vol. 22, núm. 5, Human Reprod, 2007.

Fraser, A. M. *et al.*, Association of young maternal age with adverse reproductive outcomes, vol. 332, núm. 17, New Engl J Med, 1995.

Freire, M. P. *et al.*, Genital prevalence of HPV types and co-infection in men, vol. 40, núm. 1, Int Braz J Urol, 2014 Jan-Feb.

Freundl, G. *et al.*, Estimated maximum failure rates of cycle monitors using daily conception probabilities in the menstrual cycle, vol. 18, núm. 12, Human Reproduction, 2003.

Freundl, G. *et al.*, State-of-the-art of non-hormonal methods of contraception: IV. Natural family planning, vol. 15, núm. 2, Eur J Contracept Reprod Health Care, 2010.

Frisco, M. L., Adolescent's sexual behavior and academic attainment, núm. 81, Sociology of Education, 2008.

Gainer, E. *et al.*, Menstrual bleeding patterns following levonorgestrel emergency contraception, vol. 74, núm. 2, Contraception, 2006 Aug.

Gayón, V. E. *et al.*, Efectividad del preservativo para prevenir el contagio de infecciones de transmisión sexual, vol. 76, núm. 2, Ginecol Obstet, México, 2008.

Genuis, S. J., S. K., Genuis, Adolescent behaviour should be priority, núm. 328, BMJ, 2004.

Genuis, S. J., S. K., Genuis, Managing the sexually transmitted disease pandemic: a time for re-evaluation, núm. 191, Am J Obstet Gynecol, 2004.

Genuis, S. J., S. K., Genuis, Primary prevention of sexually transmitted disease: applying the ABC strategy, núm. 81, Postgrad Med J, 2005.

Gevaert, J., El problema del hombre. Introducción a la Antropología Filosófica. Igualdad fundamental entre varón y mujer, Salamanca Ediciones, Sígueme, 2003.

Gillum, L. A. *et al.*, Ischemic stroke risk with oral contraceptives: A meta-analysis, vol. 284, núm. 1, JAMA, 2000.

Giuliano, A. R. *et al.*, The optimal anatomic sites for sampling heterosexual men for human papillomavirus (HPV) detection: the HPV detection in men study, núm. 196, J Infect Dis, 2007.

Gladstone, J. *et al.*, Characteristics of pregnant women who engage in binge alcohol consumption, vol. 156, núm. 6, Can Med Assoc J, 1997.

Godeau, E. *et al.*, Factors associated with early sexual initiation in girls: French data from the international survey Health Behaviour in School-aged Children (HBSC)/WHO, vol. 36, núm. 2, Gynecol Obstet Fertil, 2008.

Gorenoi, V. *et al.*, Benefits and risks of hormonal contraception for women, doc. 06,GMS Health Technol Assess, 2007 Aug 10.

Gortzak-Uzan, L. *et al.*, Teenage pregnancy: risk factors for adverse perinatal outcome, vol. 10, núm. 6, J Matern Fetal Med, 2001.

Grad, Y. H. *et al.*, Genomic epidemiology of Neisseria gonorrhoeae with reduced susceptibility to cefixime in the USA: a retrospective observational study, vol. 14, núm. 3, Lancet Infect Dis., 2014 Mar.

Greenberg, J. A., Hysteroscopic sterilization: history and current methods, vol. 1, núm. 3, Rev Obstet Gynecol, 2008.

Greenberg, J., L., Magder L. *et al.*, Age at first coitus. A marker for risky sexual behavior in woman, núm. 19, Sex Transm Dis, 1992.

Guida, M. *et al.*, Diagnosis of fertility with a personal hormonal evaluation test, vol. 55, núm. 2, Minerva Ginecol, 2003.

Guida, M. *et al.*, Emergency contraception: an updated review, núm. 1, Transl Med UniSa, 2011 Oct 17.

Gutierrez, J. P. *et al.*, Encuesta Nacional de Salud y Nutrición 2012, Resultados Nacionales, Instituto Nacional de Salud Pública, Cuernavaca, México, 2012.

Gutierrez, J. P. *et al.*, Risk behaviors of 15–21 year olds in Mexico lead to a high prevalence of sexually transmitted infections: results of a survey in disadvantaged urban areas, núm. 6, BMC Public Health, 2006.

Habif, T. P., Capítulo 11 "Sexually transmitted viral infections" en Clinical Dermatology, 5th ed., St. Louis, Mo: Mosby Elsevier, 2009.

Hallfors, D. D. *et al.*, Adolescent depression and suicide risk: association with sex and drug behavior, vol. 27, núm. 3, Am J Prev Med, 2004.

Hamers, F. F., A., M., Downs, The changing face of the HIV epidemic in western Europe: what are the implications for public health policies?, vol. 364, núm. 83, Lancet, 2004.

Hapangama, D. *et al.*, The effects of peri-ovulatory administration of levonorgestrel on the menstrual cycle, vol. 63, núm. 3, Contraception, 2001.

Harden, K. P., J., Mendle, Why don't smart teens have sex? A behavioral genetic approach, vol. 82, núm. 4, Child Dev, 2011.

Henderson, M. *et al.*, What explains between-school differences in rates of sexual.

Henriet, L., M., Kaminski, Impact of induced abortions on subsequent pregnancy outcome: the 1995 French national perinatal survey, vol. 108, núm. 10, BJOG, 2001.

Holzman, C. *et al.*, A life course perspective on depressive symptoms in mid-pregnancy, vol. 10, núm. 2, Matern Child Health J., 2006.

Hughes, J. P. *et al*, Determinants of per-coital-act HIV-1 infectivity among African HIV-1-serodiscordant couples, vol. 205, núm. 3, J Infect Dis, 2012 Feb 1.

Informe Mundial ONUSIDA, 2013, ONUSIDA, Ginebra, 2013.

International Collaboration of Epidemiological Studies of Cervical Cancer. Cervical cancer and hormonal contraceptives: collaborative reanalysis of individual data for 16 573 women with cervical cancer and 35 509 women without cervical cancer from 24 epidemiological studies, núm. 370, Lancet, 2007.

Jackson, C. *et al.*, Clustering of substance use and sexual risk behaviour in adolescence: analysis of two cohort studies, BMJ Open, 2012.

Jamil, M. S. *et al.*, Home-based chlamydia and gonorrhoea screening: a systematic review of strategies and outcomes, núm. 13, BMC Public Health, 2013 Mar 4.

Janssen, C. J., R. H., Van Lunsen, Profile and opinions of the female Persona user in The Netherlands, vol. 5, núm. 2, Eur J Contracept Reprod Health Care, 2000.

Jick, H. *et al.*, Risk of venous thromboembolism among users of third generation oral contraceptives compared with users of oral contraceptives with levonorgestrel before and after 1995: cohort and case-control analysis, vol. 321, núm. 7270, BMJ, 2000.

Johnston, S. C. *et al.*, Oral contraceptives and the risk of subarachnoid hemorrhage: a meta-analysis, vol. 51, núm. 2, Neurology, 1998.

Jolly, M. C. *et al.*, Obstetric risks of pregnancy in women less than 18 years old, vol. 96, núm. 6, Obstet Gynecol, 2000.

Kaestle, C. E. *et al.*, Young age at first sexual intercourse and sexually transmitted infections in adolescents and young adults, núm. 161, Am J Epidemiol, 2005.

Kahlenborn, C. *et al.*, Oral contraceptives and breast cancer, vol. 83, núm. 7, Clin Proc, 2008.

Kahlenborn, C., W. B., Severs, Comment in: reply Emergency contraception, vol. 80, núm. 3, Cleve Clin J Med, 2013 Mar.

Katzman, D., D., Taddeo, Emergency contraception, vol. 15, núm. 6, Paediatr Child Health, 2010 Jul.

Kemmeren, J. M. *et al.*, Third generation oral contraceptives and risk of venous thrombosis: meta-analysis, vol. 323, núm. 7305, BMJ, 2001.

Kirby, D., Antecedents of adolescent initiation of sex, contraceptive use, and pregnancy, núm. 26, Am Journal of Health Behavior, 2002.

Klemetti, R. *et al.*, Birth outcomes after induced abortion: a nationwide register-based study of first births in Finland, vol. 27, núm. 11, Hum Reprod, 2012 Nov.

Kost, K. *et al.*, Estimates of contraceptive failure from the 2002 National Survey of Family Growth, vol. 77, núm. 1, Contraception, 2008.

Koyama, A. *et al.*, Emerging options for emergency contraception, núm. 7, Clin Med Insights Reprod Health, 2013 Feb 18.

Królik, M., H., Milnerowicz, The effect of using estrogens in the light of scientific research, vol. 21, núm. 21, Adv Clin Exp Med, 2012 Jul-Aug.

Kuzman, M. *et al.*, Early sexual intercourse and risk factors in Croatian adolescents. Coll Antropol, vol. 31, núm. 2, 2007.

Lara, M. A. *et al.*, Population study of depressive symptoms and risk factors in pregnant and parenting Mexican adolescents, vol. 31, núm. 2, Rev Panam Salud Pública, 2012.

Lasry, A. *et al.*, HIV sexual transmission risk among serodiscordant couples: assessing the effects of combining prevention strategies, vol. 28, núm. 10, AIDS, 2014 Jun.

Lavikainen, H. M. *et al.*, Sexual behavior and drinking style among teenagers: a population-based study in Finland, vol. 24, núm. 2, Health Promot Int, 2009.

Lee, S. H. *et al.*, A review on adolescent childbearing in Taiwan: its characteristics, outcomes and risks, vol. 19, núm. 1, Asia Pac J Public Health, 2007.

Lewis, M. A. *et al.*, The use of oral contraceptives and the occurrence of acute myocardial infarction in young women. Results from the Transnational Study on Oral Contraceptives and the Health of Young Women, vol. 56, núm. 3, Contraception, 1997.

Lidegaard Ø, Løkkegaard E., Jensen A., Skovlund CW, Keiding N. Thrombotic stroke and myocardial infarction with hormonal contraception. N Engl J Med. 2012 Jun 14.

Lidegaard, Ø. *et al.*, Hormonal contraception and risk of venous thromboembolism: national follow-up study, BMJ, 2009 Aug 13.

Lidegaard, Ø. *et al.*, Venous thrombosis in users of non-oral hormonal contraception: follow-up study, Denmark 2001-10, BMJ, 2012 May 10.

Madkour, A. S. *et al.*, Early adolescent sexual initiation as a problem behavior: a comparative study of five nations, vol. 47, núm. 4, J Adolesc Health, 2010.

Magnusson, C., K., Trost, Girls experiencing sexual intercourse early: could it play a part in reproductive health in middle adulthood?, vol. 27, núm. 4, J Psychosom Obstet Gynaecol, 2006.

Malamitsi-Puchner, A., T., Boutsikou, Adolescent pregnancy and perinatal outcome, Pediatr Endocrinol, Rev 2006, 3 Suppl 1.

Manhart, L. E., L. A., Koutsky, Do condoms prevent genital HPV infection, external genital warts, or cervical neoplasia? A meta-analysis, vol. 29, núm. 11, Sex Transm Dis, 2002 Nov,.

Marco, B. F., Métodos naturales de regulación de la fertilidad, vol. IV, núm. 4, Medicina y Ética, 1993.

Marions, L. *et al.*, Emergency contraception with mifepristone and levonorgestrel: mechanism of action, núm. 100, Obstet Gynecol, 2002.

Martin, E. T. *et al.*, A Pooled Analysis of the Effect of Condoms in Preventing HSV-2 Acquisition, vol. 169, núm. 13, Arch Intern Med, 2009.

Martín, M. J., Violencia juvenil exogrupal, hacia la construcción de un modelo causal. Madrid: Ministerio de educación y ciencia, España, 2005.

Martins Mda, G. *et al.*, Association of pregnancy in adolescence and prematurity, vol. 33, núm. 11, Rev Bras Ginecol Obstet, 2011.

Marzuk, P. M. *et al.*, Lower risk of suicide during pregnancy, núm. 154, Am J Psychiatry, 1997.

McCormack, M., S., Lapointe, Physiologic consequences and complications of vasectomy, vol. 138, núm. 3, CMAJ, 1988 Feb 1.

McDonald, S. W., Cellular responses to vasectomy, núm. 199, Int Rev Cytol, 2000.

Mehta, B., A clinico-epidemiological study of ulcerative sexually transmitted diseases with human immunodeficiency virus status, vol. 35, núm. 1, Indian J Sex Transm, 2014.

Meier, A. M., Adolescent first sex and subsequent mental health, vol. 112, núm. 6, American Journal of Sociology, 2007.

Molina, M. *et al.*, The relationship between teenage pregnancy and school desertion, vol. 132, núm. 1, Rev Med Chil, 2004.

Moreau, C. *et al.*, Previous induced abortions and the risk of very preterm delivery: results of the EPIPAGE study, vol. 112, núm. 4, BJOG, 2005.

Mujeres y hombres en México 2011, INEGI, México, 2012.

Nielson, C. M. *et al.*, Consistent condom use is associated with lower prevalence of human papillomavirus infection in men, vol. 202, núm. 3, J Infect Dis, 2010 Aug 15.

Orner, P. J. *et al.*, Access to safe abortion: building choices for women living with HIV and AIDS, núm. 14, J Int AIDS Soc., 2011 Nov 14.

Ozgür, B. C. *et al.*, Ureteral Stricture after Laparoscopic Tubal Ligation due to Suturing of the Serosa, núm. 2012, Case Rep Urol, 2012.

Pantelides, E. A., Aspectos sociales del embarazo y la fecundidad adolescente en América Latina, Organización de las Naciones Unidas, 1998.

Parkes, A. *et al.*, Contraceptive method at first sexual intercourse and subsequent pregnancy risk: findings from a secondary analysis of 16-year old girls from the RIPPLE and SHARE studies, vol. 44, núm. 1, J Adolesc Health, 2009.

Parkin, L. *et al.*, Risk of venous thromboembolism in users of oral contraceptives containing drospirenone or levonorgestrel: nested case-control study based on UK General Practice Research Database, BMJ, 2011.

Paul, C. *et al.*, Longitudinal study of self-reported sexually transmitted infection indicence by gender and age up to age thirty-two years, núm. 36, Sex Transm Dis, 2009.

Pechansky, F. *et al.*, Age of Sexual Initiation, Psychiatric Symptoms, and Sexual Risk Behavior among Ecstasy and LSD Users in Porto Alegre, Brazil: A Preliminary Analysis, vol. 41, núm. 2, J Drug Issues., 2011.

Peng, J. *et al.*, Causes of suspected epididymal obstruction in Chinese men, vol. 80, núm. 6, Urology. 2012 Dec.

Peterman, T. A. *et al.*, Risk for HIV following a diagnosis of syphilis, gonorrhoea or chlamydia: 328,456 women in Florida, 2000-2011, Int J STD AIDS, 2014 Apr 8.

Pierce Campbell, C. M. *et al.*, Consistent condom use reduces the genital human papillomavirus burden among high-risk men: the HPV infection in men study, vol. 208, núm. 3, J Infect Dis, 2013 Aug 1.

Pliego, F., Familias y bienestar en sociedades democráticas, Porrúa, México, 2012. Pyper, C. M., Fertility awareness and natural family planning, vol. 2, núm. 2, Eur J Contracept Reprod Health Care, 1997.

Polaina-Lorente, A., Madurez personal y amor conyugal: factores psicológicos y psicopatológicos. Rialp, Madrid, 2000.

Quintanilla, B., La personalidad madura. Temperamento y carácter, Publicaciones Cruz O, México, D. F., 2003.

Ravenda, P. S. *et al.*, Prognostic value of human papillomavirus in anal squamous cell carcinoma, Cancer Chemother Pharmacol, 2014 Sep 11.

Ream, G. L., Reciprocal effects between the perceived environment and heterosexual intercourse among adolescents, vol. 35, núm. 5, J Youth Adolesc, 2006.

Reardon, D. C., Maternal age and fetal loss. Missing abortion stratification adds to confusion, vol. 322, núm. 7283, BMJ, 2001.

Reardon, D. C., P, Coleman, Pregnancy-associated mortality after birth, vol. 191, núm. 4, Am J Obstet Gynecol, 2004.

Reardon, D. C., P. K., Coleman, Short and long term mortality rates associated with first pregnancy outcome: population register based study for Denmark 1980-2004, vol. 18, núm. 9, Med Sci Monit, 2012 Sep.

Registro Nacional de Casos de SIDA al 30 de junio del 2014, CENSIDA, Secretaría de Salud, México, 2014.

Remis, R. S. *et al.*, HIV Transmission among Men Who Have Sex with Men due to Condom Failure, vol. 9, núm. 9, PLoS One, 2014 Sep 11.

Repp, K. K. *et al.*, Male human papillomavirus prevalence and association with condom use in Brazil, vol. 205, núm. 8, J Infect Dis, Mexico y USA, 2012 Apr 15.

Revzina, N. V., R. J., Diclemente, Prevalence and incidence of human papillomavirus infection in women in the USA: a systematic review, núm. 15, Int J STD AIDS, 2005.

Rhoades, G. K., S. M., Stanley, The National Marriage Project at the University of Virginia. Before "I Do" What Do Premarital Experiences Have to Do with Marital Quality Among Today's Young Adults?, University of Virginia, 2014.

Rivera Sánchez, Paola, Sexualidad de los niños, niñas y jóvenes con discapacidad, Educación, Costa Rica, 2008.

Ronsmans, C. et al., Evidence for a "healthy pregnant woman effect" in Niakhar, Senegal?, vol. 30, núm. 3, Int J Epidemiol, 2001.

Rutllant, M., L. F., Trullols, Sexualidad humana y práctica de los métodos naturales, vol. 45, núm. 2, Cuadernos de Bioética, 2001.

Ryder, B., H., Campbell, Natural family planning in the 1990s, vol. 346, núm. 8969, Lancet, 1995.

Sanders, S. A. et al., Condom use errors and problems: a global view, vol. 9, núm. 1, Sex Health, 2012 Mar.

Sandfort, T. G., et al., Long-Term Health Correlates of Timing of Sexual Debut: Results From a National US Study, núm. 98, Am J Public Health, 2008.

Santos, G. H. et al., Impact of maternal age on perinatal outcomes and mode of delivery, vol. 31, núm. 7, Rev Bras Ginecol Obstet, 2009.

Satterwhite, C. L. et al., Chlamydia Screening and Positivity in Juvenile Detention Centers, Estados Unidos, Women Health, 2009-2011.

Satterwhite, C. L. et al., Sexually transmitted infections among US women and men: prevalence and incidence estimates, vol. 40, núm. 3, Sex Transm Dis. 2008.

Schiffer, J. T., L., Corey, Capítulo 136 "Herpes simplex virus" en Principles and Practice of Infectious Diseases, 7th ed., Philadelphia, Pa: Elsevier Churchill Livingstone, 2009.

Schürks, M. et al., Migraine and cardiovascular disease: systematic review and meta-analysis, BMJ, 2009.

See comment in PubMed Commons belowCrosby, R. et al., A prospective event-level analysis of condom use experiences following STI testing among patients in three US cities, vol. 39, núm. 10, Sex Transm Dis, 2012 Oct.

Sgreccia, E., Spagnolo, A., Di Pietro, ML., Bioetica, manuale per i diplomi universitari della sanità, Vita e Pensiero, Milán, 2002.

Shah, P. S., J., Zao, Knowledge Synthesis Group of Determinants of preterm/LBW births. Induced termination of pregnancy and low birthweight and preterm birth: a systematic review and meta-analyses, vol. 116, núm 11, BJOG, 2009 Oct.

Shohel, M. *et al.*, A systematic review of effectiveness and safety of different regimens of levonorgestrel oral tablets for emergency contraception, vol. 14, BMC Womens Health, 2014 Apr 4.

Spriggs, A. L., C. T., Halpern, Sexual debut timing and depressive symptoms in emerging adulthood, Journal of Youth and Adolescence, 2008.

Stanton, B. *et al.*, Early initiation of sex, drug-related risk behaviors, and sensation-seeking among urban, low-income African-American adolescents, vol. 93, núm. 4, Journal of the National Medical Association, 2001.

Sun, Y. *et al.*, Induced abortion and risk of subsequent miscarriage, vol. 32, núm. 3, Int J Epidemiol, 2003.

Swingle, H. M. *et al.*, Abortion and the risk of subsequent preterm birth: a systematic review with meta-analyses, vol. 54, núm. 2, J Reprod Med, 2009.

Tarr, M. E., M. L.,William, Sexually transmitted infections in adolescent women, vol. 51, núm. 2, Clin Obstet Gynecol, 2008.

Taylor, M. *et al.*, HIV status and viral loads among men testing positive for rectal gonorrhoea and chlamydia, Maricopa County, Arizona, USA, 2011-2013, HIV Med, 2014 Sep 17.

Thadhani, R. *et al.*, A prospective study of pregravid oral contraceptive use and risk of hypertensive disorders of pregnancy, vol. 60, núm. 3, Contraception, 1999.

Thomas, T. *et al.*, Psychosocial characteristics of psychiatric inpatients with reproductive losses, vol. 7, núm. 1, J Health Care Poor Underserved, 1996.

Tommaselli, G. A. *et al.*, The importance of user compliance on the effectiveness of natural family planning programs, vol. 14, núm. 2, Gynecol Endocrinol, 2000.

Tripa, J., R., Viner, Sexual health, contraception, and teenage pregnancy, núm. 330, BMJ, 2005.

Trussell, J., Contraceptive failure in the United States, vol. 70, núm. 2, Contraception 2004.

Tu, W., B. E., Batteiger *et al.*, Time from first intercourse to first sexually transmitted infection diagnosis among adolescent women, vol. 163, núm. 12, Arch Pediatr Adolesc Med, 2009.

UNAIDS World AIDS Day Report 2012, UNAIDS, Geneva, 2012.

UNDP/UNFPA/WHO/World Bank Special Programme of Research, Development and Research Training in Human Reproduction (HRP) Carcinogenicity of combined hormonal contraceptives and combined menopausal treatment, Statement, 2005 Sep.

Waldron, M. *et al.*, Age at first sexual intercourse and teenage pregnancy in Australian female twins, vol. 10, núm. 3, Twin Res Hum Genet, 2007.

Ward, J. *et al.*, Chlamydia among Australian Aboriginal and/or Torres Strait Islander people attending sexual health services, general practices and Aboriginal community controlled health services, núm. 14, BMC Health Serv Res, 2014.

Warner, L. *et al.*, Condom use around the globe: how can we fulfill the prevention potential of male condoms?, vol. 9, núm. 1, Sex Health, 2012.

Weinstock, H., S., Berman *et al.*, 2004. Sexually transmitted disease among american youth: incidence and prevalence estimates, 2000. Persp Sexual and Reprod Health, vol. 36, núm. 1, 2004.

Weller, S. C., K, Davis-Beaty, Condom effectiveness in reducing heterosexual HIV transmission, núm. CD003255, Cochrane Database of Systematic Reviews, 2002.

Whitehead, E., Understanding the association between teenage pregnancy and inter-generational factors: a comparative and analytical study, vol. 25, núm. 2, Midwifery, 2009.

Wilcox, A. J., C. R., Weinberg, Baird, D. D., Timing of sexual intercourse in relation to ovulation, Effects on the probability of conception, survival of the pregnancy, and sex of the baby, vol. 333, núm. 23, N Eng J Med, 1995.

Winer, R. L. *et al.*, Condom use and the risk of genital human papillomavirus infection in young women, vol. 354, núm. 25, N Eng J Med, 2006.

Workowski, K. A., S. M., Berman, Sexually transmitted disease treatment guildelines, vol. 55, núm. RR11, 2006.

Workowski, K. A., S. M., Berman, Sexually transmitted disease treatment guildelines, vol. 5, núm. RR-6, Centers for Disease Control and Prevention, 2006.

Workowski, K. A., W. C., Levine, Selected topics from the Centers for Disease Control and prevention sexually transmitted disease treatment guildelines 2002, vol. 3, núm. 4, HIV Clin Trials, 2002.

World Health Organization, International Agency For Research on Cancer, IARC, Combined Estrogen-Progestogen Contraceptives and Combined Estrogen-Progestogen Menopausal Therapy, Monographs on the Evaluation of Carcinogenic Risks to Humans, vol. 91, Francia, 2007.

World Health Organization. Natural family planning: a guide to provision of services, WHO, Geneva, 1988.

Woynarowska, B., I., Tabak, Risk factors of early sexual initiation, vol. 12, núm. 2, Med Wieku Rozwoj.

Wu, O. *et al.*, Screening for thrombophilia in high-risk situations: systematic review and cost-effectiveness analysis. The Thrombosis: Risk and Economic Assessment of Thrombophilia Screening (TREATS) study, vol. 10, núm. 11, Health Technol Assess, 2006.

Yarber, W. L. *et al.*, Correlates of condom breakage and slippage among university undergraduates, núm. 15, International Journal of STD and AIDS, 2004.

Young, D. C. *et al.*, Emergency contraception alters progesterone-associated endometrial protein in serum and uterine luminal fluid, vol. 84, núm. 2, Obstet Gynecol, 1994.

Zhou, W. *et al.*, Induced abortion and low birthweight in the following pregnancy, Int J Epidemiol, 2000.

Referencias electrónicas

http://labeling.bayerhealthcare.com/html/products/pi/Mirena_PI.pdf

http://www.accessdata.fda.gov/drugsatfda_docs/label/2005/018680s060
lbl.pdf

http://www.accessdata.fda.gov/drugsatfda_docs/label/2009/021529s004
lbl.pdf

http://www.accessdata.fda.gov/drugsatfda_docs/label/2009/021998lbl.
pdf

http://www.accessdata.fda.gov/drugsatfda_docs/label/2010/022474s000
lbl.pdf

http://www.accessdata.fda.gov/drugsatfda_docs/label/2012/021098s022
lbl.pdf

http://www.cdc.gov/hiv/pubs/facts/youth.htm

http://www.drees.sante.gouv.fr/les-interruptions-volontaires-de-grossesse-en-2010,10978.html

http://www.fda.gov/downloads/Drugs/DrugSafety/UCM277384.pdf

http://www.fondationlejeune.org/

http://www.guttmacher.org/in-the-know/abortion-costs.html

http://www.nlm.nih.gov/medlineplus/druginfo/meds/a610021.html

http://www.nlm.nih.gov/medlineplus/spanish/ency/article/000594.htm

http://www.nlm.nih.gov/medlineplus/spanish/menopause.html

http://www.plannedparenthood.org/about-us/annual-report-4661.htm
(Planned Parenthood 2011-2012 Annual Report)

http://www.spfiles.com/pinuvaring.pdf

http://www.stockholders-newsletter-q2-2014.bayer.com/en/bayer-stock
    holders-newsletter-q2-2014.pdfx (Stockholders Newsletter, Bayer Fi-
    nancial Report as of June 30, 2014, Second quarter of 2014)
http://www.who.int/mediacentre/factsheets/fs110/en/#
https://shop.valley-electronics.ch/de/?cat=1
https://shop.valley-electronics.ch/de/?cat=1

ÍNDICE ANALÍTICO

La publicación de esta obra la realizó
Editorial Trillas, S. A. de C. V.

División Administrativa, Av. Río Churubusco 385,
Col. Gral. Pedro María Anaya, C. P. 03340, México, Ciudad de México
Tel. 56884233, FAX 56041364

División Logística, Calzada de la Viga 1132, C. P. 09439
México, Ciudad de México, Tel. 56330995, FAX 56330870

Esta obra se imprimió
el 4 de agosto de 2016, en los talleres de
Programas Educativos, S. A. de C. V.

B 105 TW